アフターコロナを生き抜く!

事業再建のための融資戦略

ゼロゼロ融資返済をのりきる
「究極の資金繰り」

株式会社 PMG Partners
代表取締役社長
藤嶋介翔
Kaito Fujishima

資金繰りコンサルタント
川北英貴 監修

企業再生コンサルタント
八木宏之 監修

実業之日本社

はじめに

２０２０年初めから猛威を振るった新型コロナウイルス感染症により、社会生活や経済活動の多くがストップし、企業経営にも未曽有の影響が出ました。

コロナ禍の影響で売上高が減少した中小企業や零細企業を対象に、金融機関が特例的な条件で資金を貸し出す制度として設けられたのが通称「ゼロゼロ融資」です。簡単な審査でまとまった資金を融資し、利子については3年にわたって国や都道府県が負担。また、元金の返済も5年間は猶予されます。さらに、融資にあたって保証人は不要、返済できなかった場合の保証制度もあります。

中小企業庁によると、２０２０年1月から２０２２年2月までの時点で日本政策金融公庫による「ゼロゼロ融資」は約97万件で約16兆円、民間金融機関と信用保証協会による「ゼロゼロ融資」は約１９５万件で約37兆円にのぼります（信用保証協会分は２０２２年9月末終了時点で約43兆円と推計）。

「ゼロゼロ融資」の受付は２０２２年9月末で終了し、今後は利子の負担や元金の返済が始まります。しかし、コロナ禍が終息しても経済はコロナ前にすぐ戻っているわけではありません。むしろ、経済再開に伴う供給力不足やウクライナ紛争によるエネルギー価格の高騰により欧米ではインフレが発生しています。日本の経済環境は比較的落ち着いていますが、今後どうなるかは予断を許しません。

こうした状況を踏まえて政府は、２０２３年1月から「ゼロゼロ融資」の利用者などを対象に新たな借換保証制度（「コロナ借換保証」）をスタートさせました。保証限度額は1億円、保証期間10年以内、据置期間5年以内というものです。これはつまり5年間の時間的猶予を得るのと同じであり、この時間的猶予を最大限活用することが、中小企業経営者には求められます。とくに大事なのは「決断」のための準備を行うことだと思います。

バブル崩壊後やリーマンショック後、多くの企業が売上高の急減と過剰債務に苦しめられました。今回も同じような面は見られますが、過去と今回には大きな違いがあります。かつての事業再生支援の中心は債務の再編による資金繰りの改善でした。また、過去には経営が苦しくなってから事業再生への支援が行われたため、ときには手遅れのケースもありました。

それに対して、今回はすでに巨額の資金が中小零細企業に渡っています。また、資金繰りの問題よりいま深刻になっているのは物価上昇と人手不足、後継者不足といった課題です。これからの企業再建は資金繰り改善というより、戦略的な事業の再構築や場合によってはM&Aなどの判断が必要になるでしょう。

本書では、新たに始まった「コロナ借換保証」の概要を整理するとともに、中小零細企業を巡る現状と今後を展望しつつ、これからの時代に求められる「中小零細の企業再建」について基本的知識から具体的な手法や注意点などを整理しました。

企業再建とさらには新たな成長のチャンスを模索している中小零細企業の経営者の

みなさんにとって、いささかなりとも参考になれば幸いです。

２０２４年１月

株式会社PMG Partners
代表取締役社長　藤嶋介翔

プロローグ

弊社には毎日、資金繰りに詰まった社長からの相談が来ます。そのような経営者の9割が第一声で発する言葉は「資金調達したいがどこかないか」です。

ただそこに、資金繰りが詰まった会社の社長の根本的な問題が見えてきます。自分の会社の資金繰りが詰まった原因を分析せず、資金調達という「安易な」解決策でいまをしのごうとするのです。

ここ10年は企業にとって資金調達しやすい環境でした。金利の低下により銀行は貸出量を増やすことで利息収入を増やそうと貸出競争を行い、多くの銀行ではここ10年で貸出量が増えています。加えて２０２０年からのコロナ禍で「ゼロゼロ融資」等のコロナ貸付によりいままでは融資を断られていた会社でさえも何千万円もの融資を受けることができるようになっていました。

銀行や政府系金融機関からの融資による資金調達がしやすい環境にあったため、会社に資金がなくなればまた借りればよい、という発想になってしまった社長が多いのでしょう。実際、相談に来る会社の決算書を見てみると、銀行等からの借入が全然できていないケースはまれで、たいていは数千万円、数億円という銀行等からの借入金があり、一方で預金残高が数十万円、数百万円しかないのです。いままで銀行等から数千万円、数億円も借入できていたのにほとんど使い切り、銀行としても永遠にそのような会社に対する融資量を増やし続けるわけにはいきませんから、いつかは新規融資が止まり、そのような会社の社長は目先の数百万円の資金調達を求めて探し回っているのです。

では、なぜ多額の借入をこれまでしてきたのに資金に詰まっているのでしょうか。

いままで数千社もの資金に詰まった会社を見てきましたが、そのような会社の決算書や社長からのヒアリングした内容から分析すると、次の大きなふたつの要因が見えてきます。

① 事業が毎期赤字であった。

② 社長の私的流用があった。

まず①について。赤字を出すことを簡単にいうと、売上など入ってきたお金から、仕入や外注費、経費など出ていったお金を差し引くとマイナスであるということです。一時的な赤字ですぐに黒字回復すれば問題ありませんが、赤字が毎期続けば会社の資金はなくなってしまいます。

次に②について。中小企業は社長が会社のオーナーであることが多く、そのような会社では社長が会社と社長個人のお金を区別していないことが多いものです。よくあるのが、社長が会社のキャッシュカードを持ち歩き現金を日常的に引き出している会社、会社預金口座から社長預金口座に役員報酬以外で日常的に振り込んでいる会社です。

会社の預金は会社の仕入や経費の支払いで使うべきものです。社長としては「会社の経費支払用で現金を引き出したり自分（社長）の預金口座に資金を移したりしている」と言い訳しがちです。しかしいったん社長個人の財布や預金口座に資金が入ってしまったら社長個人の現金預金と区別がつかなくなり、その多くを社長個人の生活費や遊興費で使ってしまうことになりかねません。そのような会社の決算書の貸借対照表を見ると、社長への貸付金や仮払金が毎期増えていったり、実態のない現金勘定が増えていったりしています。そのような貸借対照表になっている会社の多くは、社長が私的流用しています。

毎期の赤字や社長の私的流用があれば、会社は必ず資金が詰まります。銀行としてもそのような会社へは新規融資を行わなくなります。毎期赤字を出している会社は銀行へ返済する原資がないため新規融資を行ったとしても返済される見込みがありません。社長が会社預金を私的流用する会社は、会社の運転資金や設備資金に使うものとして出す融資が私的流用に使われることが目に見えているため、銀行は新規融資を行いません。そして多額の借入金だけが残り、一方で預金は少ししかない状態となり、資金に詰まることになります。

そしてそのような会社の社長は、いままでも銀行等から借入できてきたことから銀行等が貸してくれなくても、どこか貸してくれるところがあるだろうと安易に考え「資金調達したいがどこかないか」と相談してくるものです。

このような状態でもノンバンクやファクタリング等で資金調達できることがありますが、銀行等から借入してきたときのように多額の資金を調達できることはなかなかなく、また金利や手数料も高くなります。しかし資金調達できたことから社長は安心してしまい、経営改善することなくまた赤字を出したり私的流用したりします。そして再び資金はなくなり、資金調達手段も今度は本当に尽きてしまいます。そうなると資金がないため税金や社会保険料の滞納が発生します。そして取引先への支払いが滞り、最後は従業員への給与も支払えなくなり、会社の存続が困難となり倒産します。

以上から考えると、資金が詰まった会社の経営者が本当に行うべきことは、事業を黒字にすることと、自分自身への私的流用をなくすことです。

黒字になるためには試算表を毎月作成して損益を振り返り、赤字であればその原因を探り対策をとる、それを毎月繰り返すことです。私的流用をなくすためには社長が会社のキャッシュカードを持って会社の預金口座から現金を引き出すことをやめる、そして役員報酬以外で会社預金口座から社長の個人預金口座へ振り込むことをやめることです。

会社経費の支払いを現金でしなければならない場合は社長個人がいったん立替え、毎月経費精算（立替えた分を会社が社長に支払うこと）すればよいのです。現金支払いの場面があることに備え会社で現金を持っておく必要がある場合は、引き出した預金は社長の財布に入れず会社の金庫で保管し、その現金の出入りは現金出納帳で記録し、私的流用がないようにすることです。

本書では企業再建のためのいろいろな手法を解説していますが、赤字を黒字にする、社長の私的流用をやめる、このふたつでこれ以上の資金流出を防ぐことが前提です。そうすれば会社の資金は回り出します。その上で本書に記載してあるいろいろな手法を活用し企業再建を果たしましょう。本書がみなさまの会社の存続、そして成長に寄与することを願っています。

株式会社グラティチュード・トゥーユー
代表取締役　川北英貴
（経営コンサルタント　中小企業診断士）

目次

第2章　これから中小企業が直面する課題とチャンス

第3章　中小零細の事業再生パターンと手法

第4章 業種別に考える事業再生ポイント

第5章　元気な中小零細企業が日本を救う

第1章
ゼロゼロ融資の「借換保証」をどう活かす？

1

「ゼロゼロ融資」とは何だったのか

「ゼロゼロ融資」の功罪

2020年から猛威を振るった新型コロナウイルスによって、世界的に大きな影響が出ました。

各国では政府が中心となって大規模な支援策を実施。日本では中小零細企業向けに、「持続化給付金」や「家賃支援金」と並んで「ゼロゼロ融資」を実施されました。

「ゼロゼロ融資」はコロナ禍に直撃されて経営が厳しい企業などに民間金融機関や政府系金融機関を通して実質無利子・無担保で融資するものです。返済が滞っても各都道府県の信用保証協会が、政府の財源をもとに元金の8割または全額を代位弁済します。コロナ禍の影響が本格化した2020年3月に始まり、民間金融機関の新規受付

【図表1-1】企業規模別の「ゼロゼロ融資」利用状況

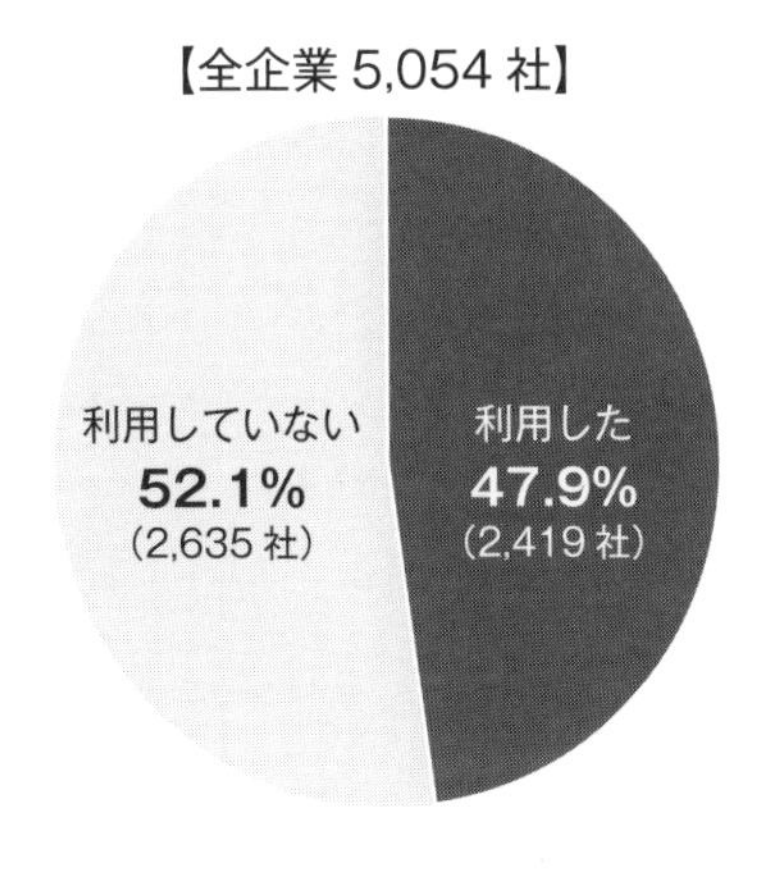

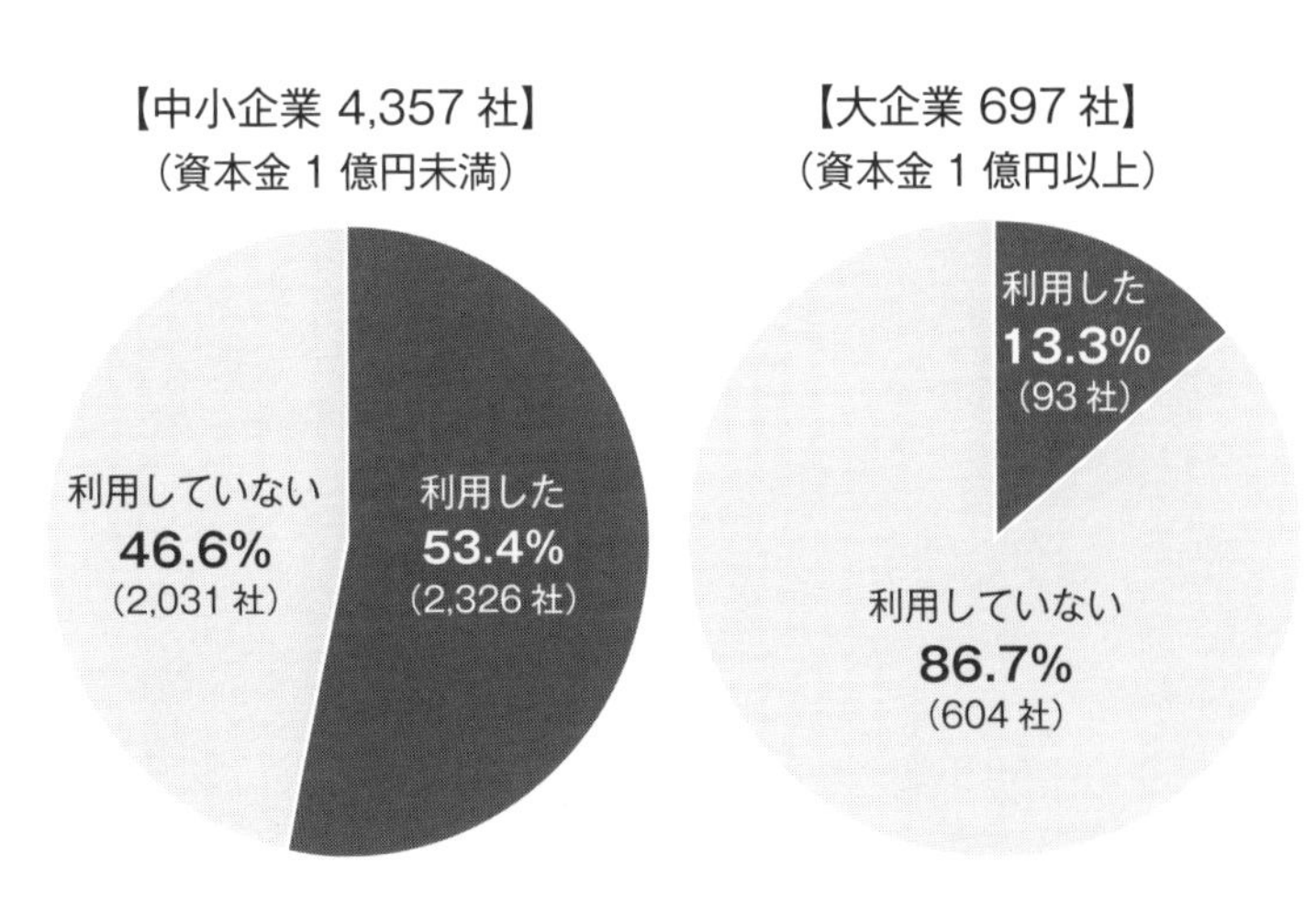

出所:東京商工リサーチ「第25回『新型コロナウイルスに関するアンケート』調査」

は２０２１年３月、政府系金融機関による受付も２０２２年９月末で終了しました。

「はじめに」でも触れたように、中小企業庁によると２０２０年１月から２０２２年２月までの時点で、日本政策金融公庫は約97万件、約16兆円の融資を承諾しました。また、民間金融機関と信用保証協会は約１９５万件、約37兆円の信用保証を承諾しました。さらに２０２２年６月末時点の融資実績は約２３４万件、融資総額は42兆円であり、信用保証協会分は２０２２年９月末終了時点で約43兆円と推計されています。

「ゼロゼロ融資」は中小零細企業の資金繰りに大きな効果を発揮し、資金難がかなり抑制されたことは間違いありません。

東京商工リサーチが２０２２年12月に公表した「第25回『新型コロナウイルスに関するアンケート』調査」では、「ゼロゼロ融資」の利用状況を規模別に見ると、大企業の「利用した」は13・３％（６９７社中、93社）に止まるのに対し、中小企業は53・４％（４３５７社中、２３２６社）にのぼります。 ※本調査とゼロゼロ融資の対象となる中小企業の定義は異なる。

【図表1-2】年度別企業倒産件数の推移

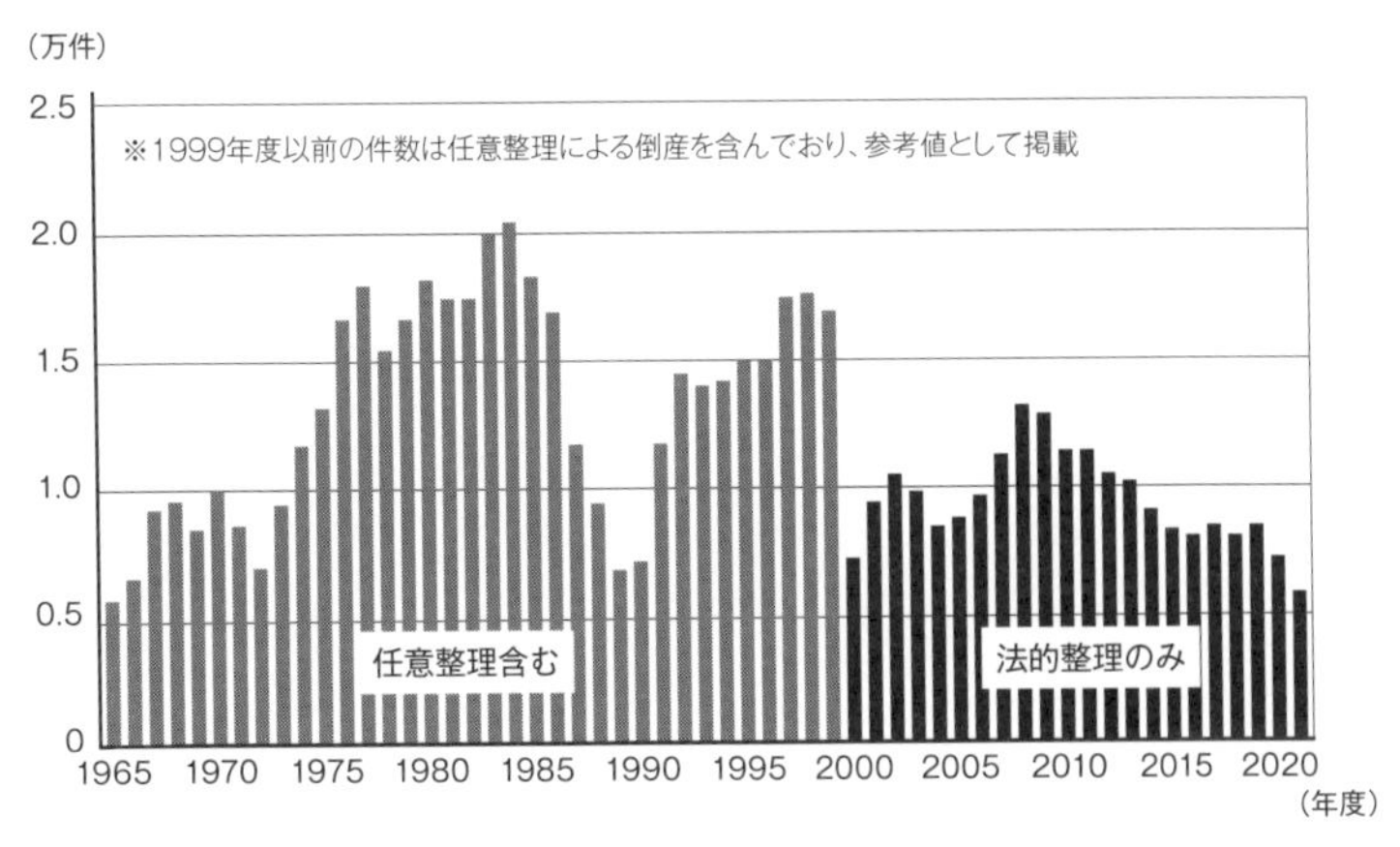

出所：帝国データバンク「全国企業倒産集計2021年度」

また、帝国データバンクによると、2021年度の企業倒産は5916件と前年度より2割近く減少。年間の倒産件数が6000件を切るのは第1次オイルショックが発生する直前、高度経済成長期の末期にあたる1972年以来約50年ぶりの水準でした。

一方で、ゼロゼロ融資には陰の面もあると指摘されています。ひとつは、融資を行う金融機関や融資を利用する一部の事業者が、申請書類の偽造などの不正行為を行っていたケースです。名古屋市の信用金庫では、担当者がゼロゼロ融資の申し込み時に必要となるセーフティネット保証の認定申請において、売上高の減少率が申請基準に達していない取引先について、申請基準を満たすように売上高を偽装するなどして保証申請を行い、保証承諾を得て貸付を行ったことがのちに発覚。金融庁から処分を受けました。

こうした不正が起きた背景には、民間金融機関にとって100%保証のノーリスクで儲かる仕組みだったことが挙げられます。政府系金融機関においても、ゼロゼロ融資の実績を伸ばし、政府系金融機関としての役割を果たさなければならないというプレッシャーが現場にかかっていたのではないかという指摘があります。明確な不正手続きでなくても、無理な融資、過剰な融資が広がっていた可能性は否定できないでしょう。

「ゼロゼロ融資」の安易な利用は事業者の側にとってもじつはマイナスなのです。コロナ禍以前から問題になっていたのがいわゆる「ゾンビ企業」の存在です。帝国データバンクでは「設立10年以上で、3年連続でインタレスト・カバレッジ・レシオが1

【図表1-3】インタレスト・カバレッジ・レシオとは?

損益計算書(PL)
売上高
売上原価
売上総利益
一般管理費及び販売費
営業利益……A
営業外収益(受取利息・受取配当金)……B
営業外費用(支払利息・手形割引料)……C
経常利益
特別利益
特別損失
税引き前当期純利益
法人税、住民税等
当期純利益

インタレスト・カバレッジ・レシオ

$$= \frac{\text{営業利益(A)+受取利息・受取配当金(B)}}{\text{支払利息・手形割引料(C)}}$$

【図表1-4】ゾンビ企業数の推移

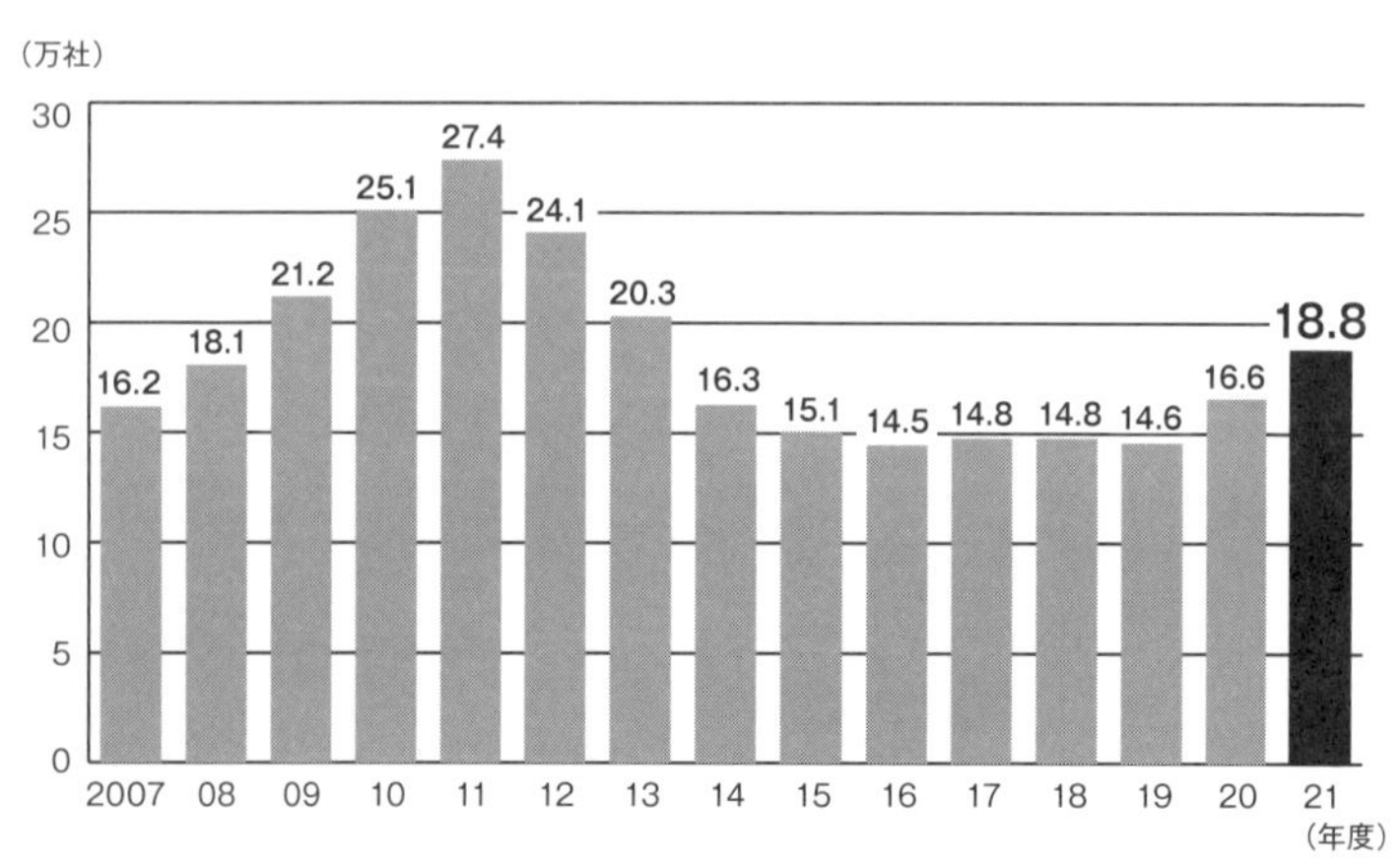

出所:帝国データバンク「特別企画:『ゾンビ企業』の現状分析（2022年11月末時点の最新動向）」

を下回る企業」をゾンビ企業と定義しています。

　インタレスト・カバレッジ・レシオとは、【営業利益・受取利息・受取配当金の合計】を【支払利息・手形割引料の合計】で割った数値のことで、インタレスト・カバレッジ・レシオが1を下回るというのは、本業での収益より利息等の支払いが多いことを意味します。つまり、借入（負債）が重くのしかかっていて事業の継続が難しい状態にある企業のことです。今回の「ゼロゼロ融資」は、ゾンビ企業をそのまま生きながらえさせただけでなく、新たなゾンビ企業を生み出したのではないかというのです。
ちなみに、帝国データバンクによる推計では、2021年度のゾンビ企業の数は18・8万社となっています。そのうち、収益力に課題がある企業が59・8%、過剰債務に課題がある企業が44・4%、資本力に課題がある企業が36・4%といいます。

なお、東京商工リサーチセンターの発表によれば、コロナの影響で倒産した会社を業種別に見ると、製造業や卸売業が多くなっています。とくに製造業はコロナ禍で原材料が入ってこなくなり、製品の出荷もできずダブルパンチを受けました。製造業は典型的な装置産業であり、受注ゼロでは2年ももちません。その下請けがさらに苦しかったのは当然でしょう。

いよいよ元金返済が本格化

先ほど述べたように、「ゼロゼロ融資」について民間金融機関の新規受付は2021年3月、政府系金融機関による受付も2022年9月末で取り扱いを終了しました。

「ゼロゼロ融資」を利用した企業では、元金の返済開始を猶予期間いっぱいの3年以上先にしたところもありますが、多くは1年以内に設定しているようです。そのため2023年夏ごろから2024年にかけ元金返済スタートのピークが来ると予想されています。コロナ禍で念のため手元資金を厚くするために「ゼロゼロ融資」を利用した企業であれば、早めに元金を返済しても問題はありません。ただ、コロナ禍さえ終われば元の経営状態に戻ると想定していたものの、その後のサプライチェーンの混乱や円安、エネルギー価格の上昇、さらには人手不足の深刻化などで思ったほど売上が回復していないような企業もあるでしょう。そうした企業を中心に今後、倒産や廃業が増加するのではないかといわれています。

先ほど紹介した東京商工リサーチの「第25回『新型コロナウイルスに関するアンケート』調査」では、すでに返済猶予を受けている、または今後の返済に懸念を感じている中小企業は約3割に及んでいます。なぜなら、コロナ禍が終息しても、今度は新たに円安、物価高（インフレ）、人件費増加、人手不足などの問題が起こり、中小零細企業はこれらの問題により大きな影響を受けているからです。

コロナの取り扱いが2023年5月8日から5類になって終息傾向になっていますが、かつての状況に戻ることを意味するわけではありません。中小零細企業を巡る経営環境は新たな時代を迎えていることを認識する必要があります。

2 新たな借換保証制度の創設

「コロナ借換保証」の概要とポイント

政府としてはせっかく「ゼロゼロ融資」などによって企業倒産を低い水準に抑えてきたのに、コロナ禍が過ぎてから倒産が急増するような事態は避けたいところです。
そこで、「ゼロゼロ融資」の元金返済の開始ピークに備え、２０２３年１月10日から民間ゼロゼロ融資等の返済負担軽減のための保証制度「コロナ借換保証」をスタートさせました。取扱期間は２０２４年３月31日までの１年あまりとなっています。

その概要は図表１－５のとおりです。
「コロナ借換保証」にはいくつかポイントがあります。

【図表1-5】「コロナ借換保証制度」の概要

制度概要	民間ゼロゼロ融資に加え、ほかの保証付融資からの借換、事業再構築等の前向き投資に必要な新たな資金需要にも対応できる借換保証制度
対象者	民間ゼロゼロ融資や、ほかの保証付融資からの借換を検討する者、金融機関の継続的な伴走支援を受けながら経営改善に取り組む者
開始時期	2023年1月10日
融資上限	1億円 ※民間ゼロゼロ融資の上限額は6000万円、100%保証の融資は100%保証で借換が可能
金利	金融機関所定
保証料	0.2%等（補助前は0.85%等）
保証期間	10年以内
据置期間	5年以内
その他	売上高または利益率の減少要件（5%以上）、もしくはセーフティネット4号または5号の認定取得が要件。 また、金融機関による伴走支援と経営行動計画書の作成が必要
取扱期間	2024年3月31日まで（予定） ※信用保証協会に保証申し込みがなされたもの

第一に、売上または利益率が5％以上減少など一定の条件に当てはまる企業が対象となります。具体的には次の4つのいずれかに当てはまることが必要です。

①セーフティネット4号の認定

（売上高が20％以上減少していること。最近1カ月間〈実績〉とその後2カ月間〈見込み〉と前年同期の比較）

②セーフティネット5号の認定

（指定業種であり、売上高が5％以上減少していること。最近3カ月間〈実績〉と前年同期の比較）

③売上高が5％以上減少していること

（最近1カ月間〈実績〉と前年同月の比較）

④売上高総利益率または営業利益率が5％以上減少していること

（③の方法による比較に加え、直近2年分の決算書比較でも可）

第二に、これまでの保証協会付融資では求められなかった「経営行動計画書」の作成が必要です。

具体的には、Ａ３サイズ１枚書式ですが、作成にあたっては経営上の指標数値や今後の見通しを数字だけでなく方針も文書で簡潔にまとめるとともに、次に触れる金融機関のモニタリングを想定しておくことが大事です。

第三に、金融機関による伴走支援が求められます。公的な保証制度を利用してリスクフリーで貸す以上、金融機関には一定の責任が求められているのです。これに対して利用者（事業者）としては、金融機関を説得し、サポートしてもらえるような事業計画や資金繰りを準備することが欠かせません。

第四に、「コロナ借換保証」は中小零細企業の事業再構築のための資金調達を支援するという狙いもあります。「ゼロゼロ融資」の借換だけでなく、新たに資金を必要とする企業も利用できる点は重要です。政府としてもこれを機に多くの中小零細企業に事業の再構築を進めてもらいたいと考えていることは明らかでしょう。

その意味で、今回の「コロナ借換保証」は自社の経営不振をコロナ禍や物価高、人手不足などのせいにしているだけで行動していない企業はもちろん、いままでと同じやり方に固執しているような企業にとってはハードルが高いといえるでしょう。

「コロナ借換保証」の手続きを知っておこう

ここで「コロナ借換保証」の手続きをまとめておきます。

1．経営行動計画書を作成する

申請にあたっては次のような内容を記載した経営行動計画書が求められます。借換後のことも視野に入れ、金融機関と対話しながら作成してください。

①**事業者名**…住所・法人名・金融機関を通じた情報提供への同意を含む
②**現在の状況**…事業概要・事業の強みと弱み（課題を含む）・財務状況（課題も含む）
③**財務分析**…売上げの増加率（売上げの持続性）・営業の利益率（収益性）・労働生産性（生産性）・EBITDA有利子負債倍率（健全性）・営業運転資本の回転期間（効率性）・自己資本の比率（安全性）
④**具体的なプラン**…改善計画と目標値・1～5年目までの取り組み計画・資本の使い道
⑤**収支計画と返済計画**…直近の決算状況・1～5年目までの売上高・営業利益・税引き後の当期純利益・減価償却費・借入金返済額

2．融資の申し込み後、与信審査を受ける

借換のための融資を受けるには与信審査を受ける必要があります。金融機関では、外部情報（取引先のコーポレートサイトなど）や内部情報（営業担当者からの情報など）を加味して与信審査を行います。

3．セーフティネット保証上の認定申請を行う

「コロナ借換保証」はセーフティネット保証の枠組みの中で実施される制度であり、セーフティネット保証上の認定申請を行う必要があります。

セーフティネット保証とは、中小企業信用保険法で定める要因によって経営の安定に支障が生じている中小企業者に対し、信用保証協会を通じ、保証限度額の別枠化により、資金調達の円滑化を図る制度です。各種要因により1号から8号まで分類されていますが、複数への掛け持ちや複数回の適用はできません。また、各分類とも対象中小企業者としての要件が定められています。

1号：連鎖倒産防止
2号：取引先企業のリストラ等の事業活動の制限
3号：突発的災害（事故など）

4号：突発的災害（自然災害など）
5号：業況の悪化している業種（全国的）
6号：取引金融機関の破綻
7号：金融機関の経営の相当程度の合理化に伴う金融取引の調整
8号：金融機関の整理回収機構に対する貸付債権の譲渡

なお、セーフティネット保証は市区町村などが認定しますが、認定申請を行うのは金融機関であり、企業側がすることは基本的にありません。

4．信用保証協会から保証審査を受ける

セーフティネット保証上の認定申請が完了したら、信用保証協会の保証審査を受けます。信用保証協会は、中小零細企業の財務諸表などから、事業内容の分析・把握・経営計画などについてチェックし、保証の可否を決定します。なお、企業が提出した経営行動計画書は信用保証協会の保証審査においても重要な資料となります。

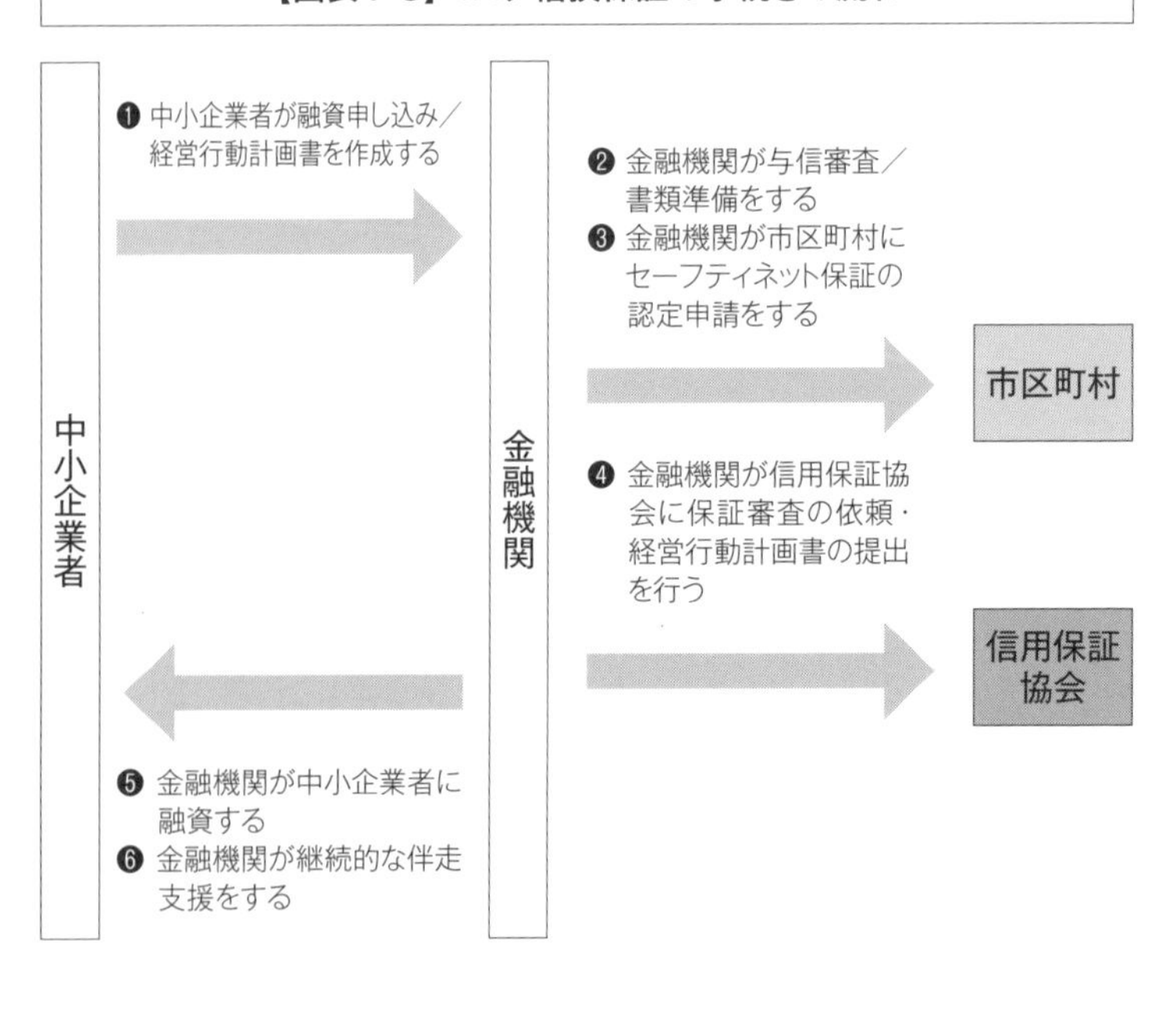

「経営行動計画書」は下記 HP よりダウンロードができます。

・中小企業庁

https://www.chusho.meti.go.jp/kinyu/sinyouhosyou/karikae.html

・東京信用保証協会

https://www.cgc-tokyo.or.jp/download/download.html

5. 借換融資の実施

信用保証協会が保証を認めると、信用保証書が交付され、金融機関が融資を行います。

6. 金融機関の継続的な伴走支援

融資のあと、金融機関は継続的な伴走支援を行い、経営改善の取り組みを後押しすることになっています。その点からも、申請前から金融機関とのコミュニケーションをしっかり取っておくことが重要です。

保証料は0・2％以上になることも

「コロナ借換保証」の大きな魅力のひとつは、保証料がわずか0・2％と低いことです。

具体的には、「セーフティネット4号」認定と「セーフティネット5号」認定なら0・

【図表1-7】「コロナ借換保証」における保証料の区分

	要件	保証料
セーフティネット4号認定	新型コロナウイルスの影響で、原則として最近1カ月間の売上高または販売数量が前年同月に比して**20%以上減少**しており、かつ、その後2カ月間を含む3カ月間の売上高等が前年同期に比して**20%以上減少**することが見込まれる	0.2%
セーフティネット5号認定	**指定業種**に属する事業を行っており、最近3カ月間の売上高等が前年同期比**5%以上減少**	0.2%
売上高または利益率の減少	－5%以上	0.2%～1.15%

2%です。

「セーフティネット4号」認定は、新型コロナウイルスの影響で原則として最近1カ月間の売上高または販売数量が前年同月に比べ20%以上減少しており、かつその後2カ月間を含む3カ月間の売上高等が前年同期に比べ20%以上減少することが見込まれる場合となっています。

「セーフティネット5号」認定は、指定業種に属する事業を行っており、最近3カ月間の売上高等が前年同期に比べ5％以上減少している場合となっています。

ただし、「売上高または利益率の減少要件（5％以上）」で「コロナ借換保証」を利用する場合、保証料は0・2％ではなく、0・2〜1・15％になるので注意が必要です。

「コロナ借換保証」の上手な活かし方

「コロナ借換保証」はあくまで借換であり、融資の残高が減るわけではありません。返済の先送りといえます。ただ、返済のペースを緩やかにする効果はあります。政府としては、「5年間は金利だけでいいので、もう少し景気が戻ってからしっかり返済してくださいね」という趣旨と思われます。

ゼロゼロ融資の元金返済が迫ってきた企業はまず、「コロナ借換保証」を利用するかどうかの判断が必要です。もし利用するのであれば、セーフティネット保証の認定申請や経営行動計画書の作成などの準備を進めなければなりません。

さらに、「コロナ借換保証」は5年間の時間的猶予を得たのと同じであり、5年後に向けて事業再生にどのように取り組むかをよく考える必要があります。


なお、ここで「借換」と「リスケジュール」の違いを確認しておきましょう。

リスケジュール（リスケ）とは、金融機関から当初の融資条件を変更してもらい、毎月の元金の返済額を引き下げたり、返済回数（返済期間）を延ばしたりするものです。

たとえば、毎月の返済額を50万円としたものが5年間にわたって毎月20万円にしてもらうようなケースが当てはまります。もともとの契約条件を変更してもらうので金融機関の承認が必要となりますが、現状では「経営改善計画」を提出するなど一定の条件を満たせばほとんどが応じてもらえます。ただし、もとの借入（融資）額や金利は変わらず、一時しのぎであることは否めません。

とくに重要なことは、リスケジュールを行うと相手の金融機関から新たな融資を受けることが難しくなることです。リスケジュールは金融機関にとっては融資区分が悪化するなど、経営上マイナスの影響があるからです。

これに対して「借換」は、新たな借入（融資）を行い、その資金でもとの借入（融資）を完済することです。新たな借入に伴い、金利や返済期間などの条件も新しく設定します。

たとえば、１２００万円を5年（60回）返済の条件で新たに融資してもらい既存分（当初３０００万円で毎月50万円返済、残金１２００万円）を返済すると、毎月の返済額は１２００万円÷60回＝20万円になります。リスケと同じく、毎月の返済額が50万円から20万円まで減額でき、さらに借換なら今後の新規融資に大きな影響はなく、リスケジュールより相談に乗ってもらいやすいでしょう。

焦げ付きは2割程度？

今回の「コロナ借換保証」などを提言した自民党金融調査会の片山さつき会長は経済誌のインタビューで、「ゼロゼロ融資を利用した事業者の数が多いことは確かです。ゼロゼロ融資で政策公庫から約107万件、民間金融機関から約137万件が借りている。重なっているところが多少はあるとしても約230万社」と述べています。

また、「金融機関等へのヒアリングでは全体の融資額のうち返済に問題が起きそうな貸出先は、少なくて1割、多くて3割。平均すれば2割ぐらいとみています」「仮にゼロゼロ融資42兆円のうち8兆円が返済できない借り手への融資で、その債権を3割カットするとすれば、減免の規模は2兆～3兆円になるでしょう。みなさんが考えているほど負担になる額にはならないのではないかと思います」とのことです。

東日本大震災の事業者再生支援でも、支援機構の債務買い取りなどのために

5000億円（政府保証）が用意されましたが、減免措置で実際に使ったのは700億〜800億円程度で債権カット率も3〜4割でした。それをふまえての見立てのようです。

ただし反面、片山氏はゾンビ企業へ厳しい姿勢も見せています。

「中小企業庁は借換でなんとか持たせようと考えているようだが、経営が改善しないまま生きることも死ぬこともできないところが増えるだけです。そういうゾンビ企業を何の改善もなく支援をしても効果はないし、いろいろ検討した結果、事業を整理してやめるという事業者も出てくるでしょう。ただし私は、ずっと倒産という言葉は使わないで、民事再生とか、事業再生・再構築と言ってきました」

政府与党のひとつの見方として参考になるのではないでしょうか。

専門家の力を活用する

中小零細の企業再建に向けては、自社だけで対応可能であればそれに越したことはありませんが、人材にしろ情報にしろ限られるケースが多いなか、第三者の視点でサポートしてくれる専門家の活用も考えたいところです。

大事なことは信頼できるサポート役を見極めることです。民事再生法やサービサー法など法律面は整備されてきていますが、個別企業の具体的な状況に応じて臨機応変にサポートできる事業再生の専門家はまだまだ少ないのが現状です。

そうした中でご紹介しておきたいのが一般社団法人日本経営管理協会です。この協会は「中小企業の再成長とそれを支えるコンサルタント育成と連携」をミッションとしており、M&A、事業承継、事業再生の認定資格の付与や公益社団法人全日本能率連盟認証資格の「HPMP（ヒューマン・パフォーマンス・マネジメント・プロフェッショナル）」「BPIE（ビジネス・プロセス革新エンジニア）」「ITPS（ITプランニング・セールス）」の検定試験の受託運営などを行っています。また、外部企業との連携や関係会社との協業によりコンサルティング実践の場を広げたり、「ゼロゼロ融資借換相談窓口」も設けたりして、専門家のコンサルタントが中小企業の状況に合わせて対応しています。

「コロナ借換保証制度」終了後の見通し

コロナ借換保証制度の申し込み受付期間は２０２４年3月末までとなっています。仮にそのまま終了となった場合、返済できない企業や倒産件数が急増することになることはデータから予測できます。

今の経済状況から申し込み期限の延長や新たな受け皿となる制度が設けられるとすれば、地域差や業種差がありますから、自治体の制度融資や事業再構築補助金を活用するなど、専門家と相談しながら乗り切りましょう。

第2章
これから中小企業が
直面する課題とチャンス

1 いま起こっているのは不連続な変化

世界と日本の経済見通し

コロナの終息後、景気はどれくらい戻るのかさまざまな予想がされてきました。実際には経済再開による供給力不足の顕在化やロシアによるウクライナ侵攻が起こって石油などのエネルギー価格が急騰。世界的にインフレが加速しています。

ＩＭＦ（国際通貨基金）では２０２３年４月上旬、「A Rocky Recovery（困難な回復）」と副題を付けた半期に一度の「World Economic Outlook（世界経済見通し）」を発表しました。その中で、「自然利子率」についての分析を行っています。自然利子率とは、景気への影響が緩和的でも引き締め的でもない、景気に中立的な利子率のことです。

長期的に見ると世界の金利は１９８０年代から低下トレンドにあり、さらに

2008年のリーマンショック以降、多くの国で大幅な金融緩和が進んだことや出生率の低下、人口の高齢化などから自然利子率は2010年代に大きく落ち込み、いわば「金利のない世界」が広がっていました。

問題は、いま進行中のインフレや政策金利の上昇もいずれ収まって元の低い水準に戻るのか、それとも今後は「金利のある世界」に移行していくかです。一部の経済専門家によるとコロナ前に見られた自然利子率の水準について、過去40年間に及ぶ金利の長期低下トレンドが底を打ったと見る向きもあるようです。実際、最近は世界中で脱炭素やAI、ロボット、さらにいえば安全保障関連の投資が活発化しています。日本でも人手不足から賃上げが進み始めています。

もちろん、日本ではまだ日銀が掲げる「安定的に2％を超える」インフレ目標が達成されていませんが、資本が自由に移動する国際経済システムにおいてはいずれアメリカや欧州のインフレが波及することは十分考えられます。

むしろ、いまだに金融緩和を続けている日本では景気が過熱して急速にインフレが進み、経済的な混乱を招く可能性も否定できません。それは当然、中小零細企業の経営にも大きな影響をもたらすことになるでしょう。

バブル崩壊やリーマンショックとの違い

国内の経済状況を見ると、コロナ後とかつてのバブル崩壊やリーマンショックの後の状況にはさまざまな違いがあります。

そもそも、バブル崩壊やリーマンショックのときは地価や株価が大幅に下落しましたが、今回はそれほど下落していないどころか、むしろ首都圏のマンションなどの不動産は大きく上昇を続けています。株価も海外からのマネー流入が進み、２０２３年11月末時点で日経平均株価が３万３８００円を超え、バブル崩壊後の高値を更新し続けています。

この違いはおそらく、法整備の状況と政治の対応によるものだと考えられます。バブル崩壊のときもリーマンショックのときも、法律の建前や政治的な判断の遅れが影響を深刻にし、また長引かせた面があると思います。

企業への影響もそうです。バブル崩壊やリーマンショックではとくに不動産業や建設業に甚大な影響が出ました。今回のコロナ禍では、経済環境が急変したときの企業支援の法的な枠組みがかなり整えられており、また政治もこれまで数々の経験を積んできており判断の遅れはあまりなかったのではないでしょうか。

ひと言でいえば「緊急時にはお金をばらまくしかない」ということが理解されており、それが迅速に実行されたのです。

もちろん、先進国はばらまき過ぎの面もあり、民間部門に過剰貯蓄が生じてそれがインフレの要因のひとつになっています。日本では多くの中小零細企業が「ゼロゼロ融資」で手元資金を厚くすることができましたし、当面は「コロナ借換保証」もあります。従来の借入（融資）についてもリスケジュールなど金融機関との交渉はかつてほど難しくはありません。

注意したい「公租公課倒産」

むしろ、中小零細企業にとってコロナ禍後のこれから注意が必要なのが「公租公課倒産」です。これは私たちの造語ですが、コロナ禍で支払いが猶予されていた税金や社会保険料などの支払いができず資金繰りが行き詰まるケースのことを指します。

税金や社会保険料の負担は個人にしろ法人にしろ法的にも社会的にも当然の責任です。しかし、だからといって納付猶予された未納額を一度に全部支払えといわれたり、売掛債権を差し押さえられたりして企業経営が維持できないことになるのも問題ではないでしょうか。

典型的なのが人材派遣業です。人材派遣業は人が「商材」であり、企業規模に比べて社員数が多く、社会保険料の会社負担も多額になりがちです。コロナ禍では一定の条件のもと、社会保険料の支払いの猶予や延期を受けられましたが、アフターコロナになると毎月の負担分に加えて猶予分の支払いを求められます。

基本的に、金融機関からの借入（融資）の延滞と公租公課の延滞が両方あった場合、まずは優先債権である公租公課の分から納付しなければなりません。金融機関も公租公課のほうを優先したいといえば認めてくれます。

「コロナ借換保証」が元金の返済据え置きを5年以内としているのは、政府として多くの中小零細企業が公租公課の未納付の分を全部クリアして経営が正常化するのに、おおむね5年かかると見ているからではないかとさえ思えます。

これからはインフレを警戒せよ！

これからの日本経済がどのような状況になるのか、歴史と照らし合わせてみましょう。

日本の政府債務は年々増えており、国（中央政府）の借金である国債の発行残高は約

【図表2-1】日本の政府債務残高の名目GDP等に対する推移

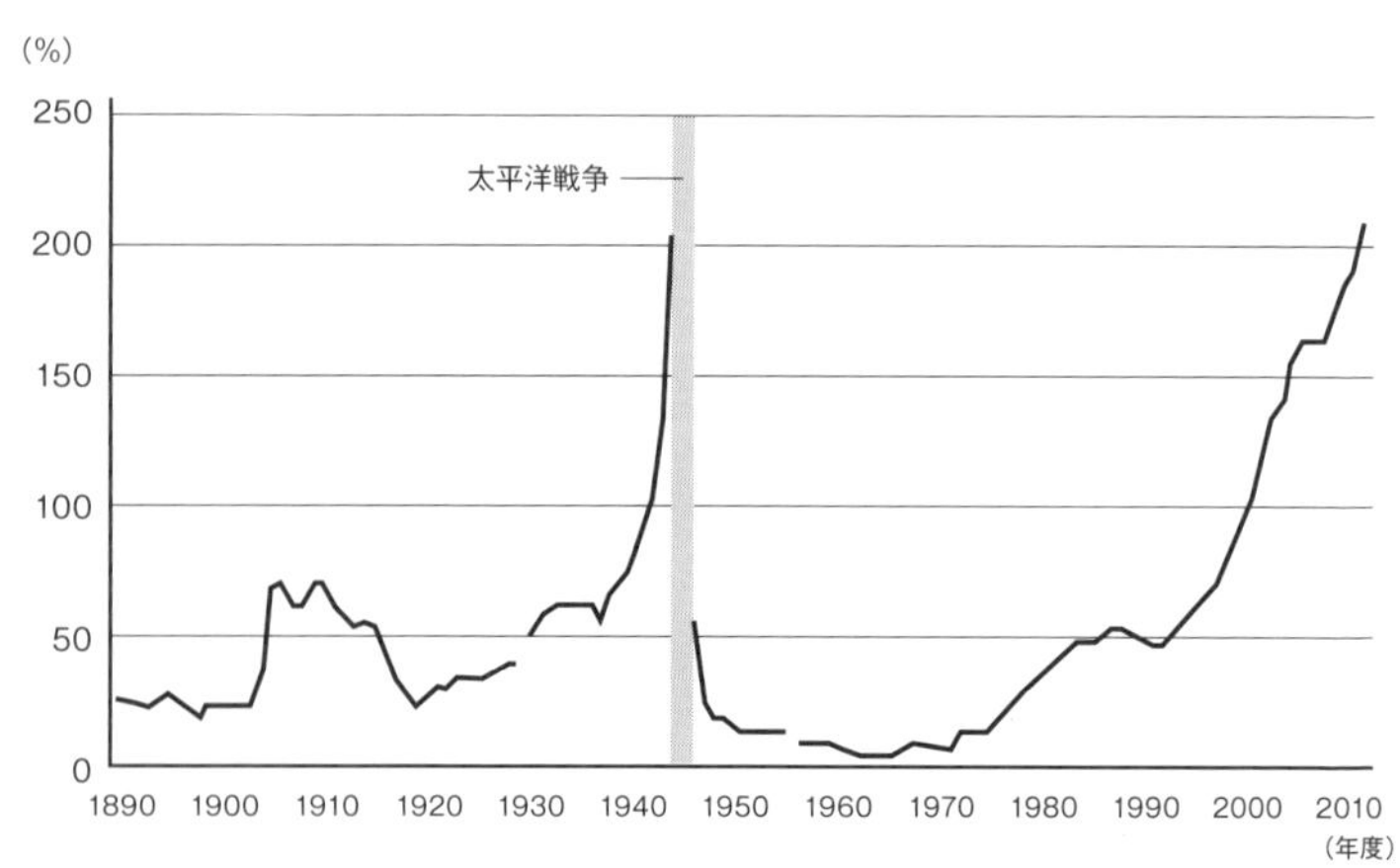

出所:財務省「社会保障・税一体改革について」

１０００兆円、地方政府の借金である地方債の発行残高は約２００兆円、国と地方を合わせるとその総額は約１２００兆円に達します。コロナ禍でも１００兆円規模の赤字国債が発行されました。

また、国の財政の持続可能性を見るうえでは、税収の元となる国の経済規模（ＧＤＰ）に対してどれぐらいの借金をしているかが重要です。日本の債務残高はＧＤＰの２倍（２００％）を超えており、主要先進国の中で最も高い水準にあります。

じつは日本では過去にも似たような状況がありました。それは第二次世界大戦中です。当時は戦費調達のため政府債務が大きく膨らみ、1942年にGDP比で105%、1943年に133%、1944年に204%に達しました。しかし、戦後には国債の実質価値が縮小し、1946年には56%に急低下したのです。

なぜこれほど急低下したのでしょうか。

敗戦後の日本には1408億円（1945年8月）の国債残高を含め、約2000億円の政府債務が残され破滅的な状況にありました。そこで当時の大蔵省は一回限りの財産税によって国債償却・財政再建を進めようとしたのです。

当時、大蔵省では次のように考えていました。

①国債は政府の債務であるが、国債所有者たる国民にとっては債権、財産である。
②敗戦直後の国民財産総額4000億〜5000億円のうち、2000億円は国債という財産である。

③物（生産）と金（日銀券）が極端に不均衡な現状では、国債は実体のない財産にすぎず、むしろ悪性インフレや経済崩壊の原因である。
④そこで、国民所有の資金・資産を大規模に吸収して、物と金との不均衡を一挙に是正する必要がある。

こうして日本政府は1946年2月に「臨時財産調査令」を閣議決定し、「金融緊急措置」を実施しました。金融緊急措置とは①預貯金等の封鎖、②旧円から新円への強制切り替えのふたつです。

また、同年11月には「財産税法案」が成立し、1946年3月の財産価格（申告）をもとに25～90％（超過累進税率）で課税されました。課税対象は51万戸、税額は1281億円だったそうです。

さらに当時はインフレが高進し、たとえば1947年のインフレ率は125％、1945年から1949年に物価は70倍になったとされます。

こうした歴史を振り返ると、企業経営者たるもの頭の片隅にでもいいので新たな預金封鎖と新円切り替え、あるいはハイパーインフレの可能性を意識しておくべきではないでしょうか。

2 中小零細企業が直面する課題

そもそも中小零細企業とは何か？

中小零細企業とひと言でいっても、その定義はいろいろあります。中小企業基本法においては、中小企業者＝中小企業の範囲と小規模企業者＝零細企業を図表２－２のように規定しています。

日本では全企業の99％を中小企業者・小規模事業者が占め、全従業員の約70％が中小企業・小規模事業者に勤務しています。

ただし、中小企業基本法の中小企業者は、個別の中小企業施策における基本的な政策対象の範囲を定めた原則であり、各法律や支援制度における「中小企業者」の定義と異なることがあります。

【図表2-2】中小企業基本法における「中小零細企業」の定義

業種	中小企業者（下記のいずれかを満たすこと）		小規模企業者
	資本金の額または出資の総額	常時使用する従業員の数	常時使用する従業員の数
①製造業、建設業、運輸業その他の業種（②～④を除く）	3億円以下	300人以下	20人以下
②卸売業	1億円以下	100人以下	5人以下
③サービス業	5,000万円以下	100人以下	5人以下
④小売業	5,000万円以下	50人以下	5人以下

参照:中小企業庁

【図表2-3】日本の企業数、従業員の割合

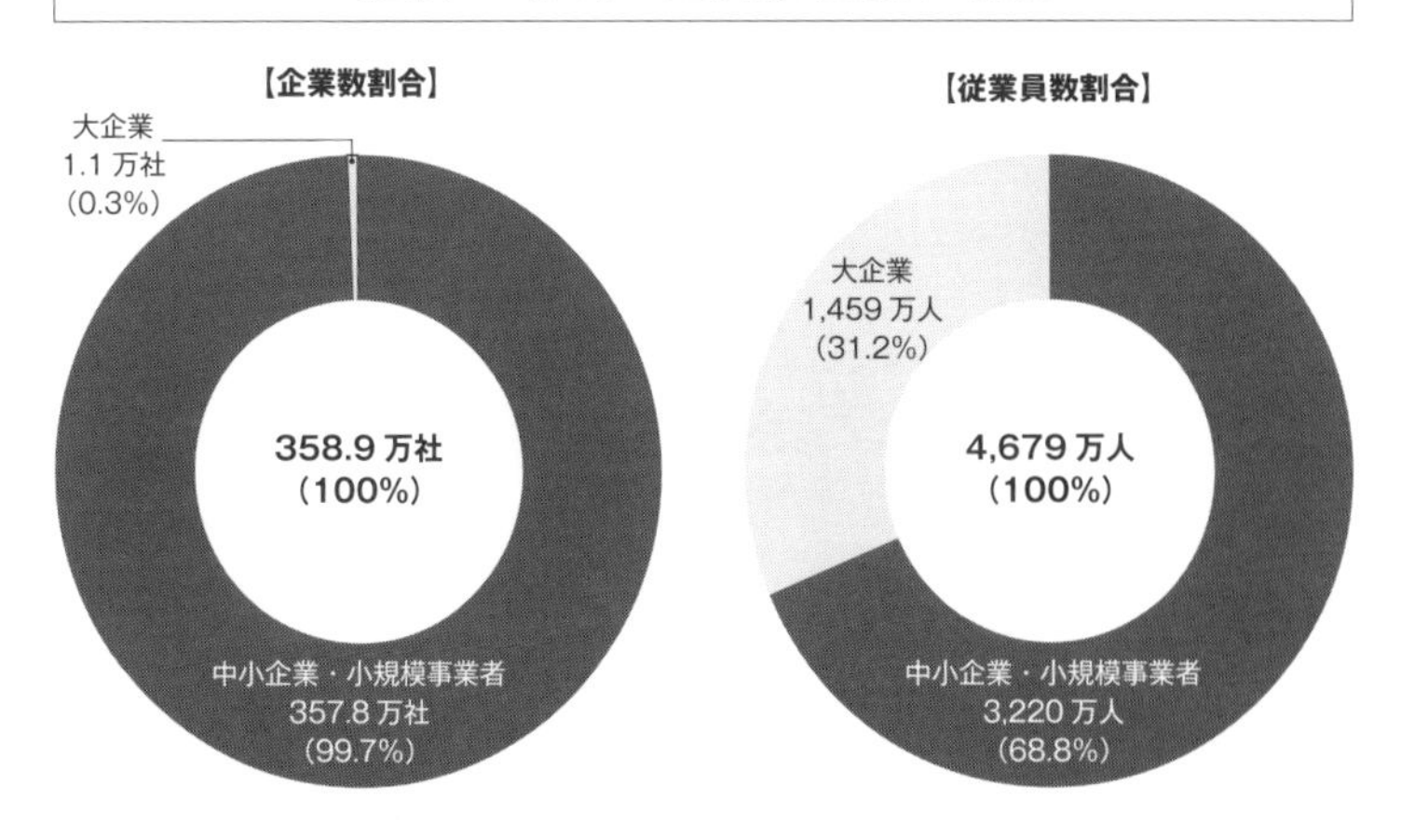

出所:総務省・経済産業省「平成28年経済センサス-活動調査」を中小企業庁が再編加工したもの。

東京商工リサーチセンターの調査では、「ゼロゼロ融資」を利用した企業は全体で47・8%とほぼ半数に達します。しかし、規模別で見ると、大企業で「利用した」は13・3%（697社中、93社）、中小企業では53・4%（4357社中、2326社）でした。

また、「利用した」と回答した企業を業種別（業種中分類、回答母数20以上）で見ると、トップは「家具・装備品製造業」の72・0%（25社中、18社）。以下、「印刷・同関連業」の68・8%（77社中、53社）、「金属製品製造業」の67・5%（197社中、133社）と続きます。

急速に進む人手不足

日本ではいま、少子高齢化の進行によって人口が減少傾向にあることに加え、労働人口も減少しています。このためおよそ7割の中小企業が人手不足に悩んでいるといわれるほどです。

帝国データバンクの「人手不足に対する企業の動向調査（2022年8月）」によると、正社員が不足している企業は49・3％と5割に達します。これは2020年4月以降で最も高い水準です。

公租公課の滞納処理

中小企業にとって、公租公課の滞納分をどのように処理するかはかつてのバブル崩壊やリーマンショックとは違った、今回のコロナ禍後の大きなテーマです。

実際にどう処理するかはケースによって異なりますが、基本的な考え方を説明しておきます。

コロナ禍において税金や社会保険料の支払いを猶予してもらったり延期してもらったりしている場合、まず税金と社会保険料の優先順位が異なります。基本的には税金の滞納分、猶予分から最優先に支払います。毎期ごとにかかる法人税や消費税、地方税もきちんと支払います。滞納額が大きくなると差し押さえ等の処分もあり、過去の分も新たに発生する分も、税金の優先度は一番です。

社会保険料はその次です。社会保険料の滞納分の支払いにはひとつ注意点がありま す。それは新規に支払い義務が発生するほうを優先することです。もちろん、過去に溜まった分も一緒に払えればいいのですが、経営状況から見て支払いに充てられる資金が限られる場合、新しく発生する分から支払って新たな滞納の発生を避け、そのうえで少しずつでもいいので過去の滞納分を返済していきます。

もちろん、滞納分には延滞金がつきます。延滞金は納付期限の翌日から、納付した日の前日までの日数に応じて、保険料額に一定の割合を乗じて計算します。

「一定の割合」とは原則として、納付期限の翌日から3カ月を経過するまでの期間は「年7・3％」、その後は「年14・6％」です。

ただし、租税特別措置法により平成27年1月1日から令和2年12月31日までは、納

【図表2-4】社会保険料の延滞税特例基準割合

期　間	延滞税特例基準割合
平成27年1月1日～平成27年12月31日	1.8%
平成28年1月1日～平成28年12月31日	1.8%
平成29年1月1日～平成29年12月31日	1.7%
平成30年1月1日～平成30年12月31日	1.6%
平成31年1月1日～令和 元 年12月31日	1.6%
令和 2 年1月1日～令和 2 年12月31日	1.6%
令和 3 年1月1日～令和 3 年12月31日	1.5%
令和 4 年1月1日～令和 4 年12月31日	1.4%

付期限の翌日から3カ月を経過する日までの期間は「年7・3%」と「特例基準割合＋1%」のいずれか低いほう、納付期限の翌日から3カ月を経過する日の翌日以後については、「年14・6%」と「特例基準割合＋7・3%」のいずれか低いほうとなります。

令和3年1月1日以降については、納付期限の翌日から3カ月を経過する日までの期間は「延滞税特例基準割合＋1%」、納付期限の翌日から3カ月を経過する日の翌日以後の期間は「延滞税特例基準割合＋7・3%」です。

完済の見込みが立たない場合は、事業主に対して財産状況の聴取調査が行われ、取引先金融機関に預金残高の確認を行うほか、必要に応じ取引先企業全般に対し売掛金等の債権の有無、滞納事業所の不動産等、財産全般についても調査が行われます。そして、不動産、預金債権、売掛金などの差し押さえ・換価処分が行われることもあります。

ただ、そこまで行うと事業者の事業継続が難しくなり、最終的には破産ということになってしまうかもしれません。社会保険料には2年の時効があるとともに、万が一、法人が破産すると債務は消滅してしまいます。

そうした点を関係機関がどう考え、どう対応するのかは断言できませんが、中小零細企業の経営者としては、新たな滞納の発生を避けつつこれまでの滞納分については可能な限り返済していく姿勢を見せることが重要だと思います。

バブル崩壊後やリーマンショック後には金融機関との間で借入（融資）の返済をどうするかが大きな課題でしたが、今回はむしろ税務署や社会保険事務所との交渉がポイントになってくるのではないでしょうか。

「ゼロゼロ融資」のような保証協会の保証付きの場合も、規定どおりにリスケジュールの交渉は可能です。ただし、保証協会とのリスケジュールの交渉は借り手である事業者が直接行うのではなく、借入（融資）元である銀行を通して行う必要があります。

金融機関によっては保証協会との交渉を敬遠してか、借り手である事業者への情報提供に消極的なケースも見られます。その場合は事業者のほうから「こういうのもあるけどこれ適用できませんか」といった姿勢で臨むといいでしょう。

3 中小零細企業にとっての可能性

中小零細のほうが〝伸びしろ〟がある

日本経済にとって、また中小零細を含めてあらゆる企業にとってより大きな問題は人手不足です。

すでに日本の総人口は２００８年から減少が始まっており、コロナ禍を経てそのスピードは加速しています。２０２２年の出生数は政府の想定よりも5年以上早く80万人を割りました。人手不足はこれから10年、20年かけて本番を迎えます。

さらにいま注目されているのが生成ＡＩの登場です。１９９０年代にインターネットが登場したときと同じように、経済や社会の形が変わるインパクトを秘めていると見られています。あらゆる企業はDX（デジタルトランスフォーメーション）を軸に、ビジネスモデルの再建と再構築が必要になってきています。

こうしたなか、DXはむしろ中小零細企業にとってメリットが大きいとする見方があります。これまで遅れていた分、〝伸びしろ〟があるからです。海外市場の開拓やインバウンド需要の取り組みについても同じです。

ただし、それには従来の延長線上で事業を展開するのではなく、断崖を越えるようなドラスティックな挑戦が必須でしょう。

「ゾンビ企業」から抜け出す

これまであまり業績が芳しくなかった中小零細企業も、考えようによってはチャンスがあるのではないでしょうか。

なぜなら、中小零細は規模が小さい分、意思決定が速く、スピーディーに動けます。

「このままではいけない」とトップが決意すれば、新しい挑戦もすぐできるはずです。そのためにはまず、決算書をきれいにしておくことです。粉飾などは問題外ですが、中小零細では経営者と会社との間の取引が不透明なことがあります。

そして、収益力を上げることです。収益力を上げなければ「ゼロゼロ融資」を含めて借入（融資）を返済したり、人材を確保したり、新商品の開発や販路開拓なども行えません。

金融機関に対して新しい借入（融資）を申し込んだり、「コロナ借換保証」を利用したりするにしても経営改善計画が必要です。

中小零細の経営者は、みなさんそれぞれ事業に対する思いがあり、それぞれの強みや得意分野があるはずです。時代の変化に合わせて、それらをもう一度、見直すところから始めてみてはどうでしょうか。

ビジネスモデルの考え方

そういう意味で、これからの時代には中小零細企業はビジネスモデルの転換が不可欠だと思います。ビジネスモデルの発展段階について基本的なパターンを整理しておきましょう。

《引き算の経営》

昔からある最もシンプルなビジネスモデルが「引き算の経営」です。「夜鳴きそばの経営」ともいいます。裸一貫、都会に出てきて商売を始めるパターンです。

江戸時代の夜鳴きそばの場合、地方から出てきて長屋に住むようになった男が、元締めの仲介業者から露店用の屋台を借ります。そして、仕入屋に行ってそば玉とネギ、ナルト、汁を前借りします。それを荷車に載せて市中に出かけ、場所を決めたら七輪でお湯を沸かして営業します。

1日の営業が終わって帰ってくると仕入業者にはネギが半分残ったから半値にしてくれとか、そばが2玉残った分を返すとか交渉して、売れた分だけ払います。最後に元締めのところに行って屋台の料金（リース代）を支払うのです。

売上から材料の仕入分や設備のリース料を差し引いたものが利益となります。非常にシンプルで、いまでも飲食業などこのパターンの中小零細企業は少なくありません。

しかし、自分一人でこのやり方をやっていては売上は伸びず、発展性がありません。天候や景気に左右されやすく、ましてや健康を害したりしたらそこでストップしてしまいます。

《レバレッジ経営》

次にくるのがレバレッジ経営です。あらかじめマーケット調査を行い、事業計画を立て、借入によって人を雇ったり新しい設備を入れたりします。銀行借入によってレバレッジをかけ、先行投資を行うのです。

典型的なのが製造業です。工場の建屋をつくり、製造機械を導入し、ラインを動かす従業員を雇います。受注生産でもいいのですが、一般的には見込み生産で在庫を持ち、受注活動を展開し、売上が伸びれば単価（コスト）と損益分岐点が下がり、利益率が改善し、どんどん利益が増えていきます。

問題なのは仕事があろうがなかろうが、設備の維持費や従業員の人件費などが固定費としてかかることです。通常は優れた商品をつくって売れていたとしても、リーマンショックや今回のコロナ禍のように、突然需要が蒸発したり急減したりすることがあります。あるいは、うまくいっていてもいつしかより優れた設備や技術を備えたライバルが出てきて市場での競争に敗れることもあります。これが2番目の段階です。

《スリム経営》

3番目の段階は、固定費を減らしながら売上を伸ばすスリム経営です。

ほとんどの企業は、社員と設備を使ってさまざまな事業を行っています。とくに日本ではいったん雇用関係を結んだ社員は簡単には辞めさせられず、固定費となります。そのため、バブル崩壊後はアルバイトやパート、派遣などの非正規雇用を活用する企業が大幅に増えました。

製造業の中には自社では工場などの生産設備をいっさい持たず、商品の企画・設計やマーケティングのみ行い、製造はすべて外注するファブレス型の企業があります。アメリカのアップルが典型で、国内にも超高収益で知られるキーエンスなどの例があります。

ただ、最近は中小零細企業ではパートやアルバイトの確保もままならなくなっています。ファブレス型企業でもいかに優秀な外注先を確保し、中長期的に安定した関係を築くかが決定的に重要です。

そうしたことを考えると、スリム経営においては戦略的な取り組みが鍵を握ります。ポイントは、自社の競争力や価値創造の源泉となる業務には人、モノ、カネを集中的に投入して磨きをかけ、その一方、周辺業務などは外注化していくことです。

外注化にあたっては、取引先でしっかりした企業に業務の一部を新たに担当してもらい、自社の社員をスリム化します。外注先にとっては安定した売上が期待でき、自社にとっては固定費を圧縮できます。あるいは、自社の社員で独立志向の人がいれば、副業などを経て独立してもらい、自社の外注先となってもらうという方法も考えられます。自社の経営方針や業務内容を理解している外注先は貴重です。

《ボリューム経営》

スリム経営の次の段階が、ボリューム経営です。

スリム経営においては業務の外注化で人員や設備を減らし、固定費の負担を抑える点で「スリム」と呼びます。

一方の「ボリューム経営」とは、キャッシュフローに着目し、手元資金を厚くする（ボリューミーにする）ことを指します。

企業の財務分析で使われる指標にキャッシュ・コンバージョン・サイクル（CCC）があります。これは仕入債務（買掛金）の支払いから売上債権（売掛金）の回収まで何日かかっているかを数値化したものです。具体的には、在庫についても考慮して「棚卸資産回転期間＋売上債権回転期間－仕入債務回転期間」で計算します。

CCCが短ければ、それだけ資金の回転が速いということであり、経営が安定しているといえます。前払いの受注生産のようにＣＣＣがマイナスというケースもあります。

一方、ＣＣＣが長くなればなるほど、その間のつなぎ資金が必要になります。かつては手形を使うのが一般的でしたが、いまは金融機関からの借入（融資）に頼ります。

ＣＣＣを短縮する方法としては次の３つが考えられます。

第一に、取引先と交渉し、売掛金を早期に回収することです。多少、取引価格を下げても売掛金の回収を早くするほうが得策であるケースは少なくありません。

第二に、買掛金の支払いを遅らせることです。原材料や部品の仕入先に対し、一定の保証金を積むといった方法が考えられます。

第三に、商品や原材料の在庫を削減することです。いわゆるトヨタの「カンバン方式」が典型ですが、最近はサプライチェーンの目詰まりが問題になっており、あまり在庫を絞り過ぎることもリスキーなので、バランスが重要です。

このように、売上分（売掛金）を早くもらって仕入分（買掛金）を遅らせるようにすると、手元にはキャッシュがたまってきます。ボリューム経営とは、言い換えれば「時間差経営」です。

逆に、仕入分（買掛金）を早く払ってあとで売上分（売掛金）を回収するビジネスモデルの場合、事業規模が拡大すればするほど運転資金が必要になり黒字倒産しやすくなります。

なぜなら、会計上の売上は実現主義といって実際に商品やサービスを買主に提供し、それに対する受領書等を受け取った時点（売掛金の発生が認識された時点）で計上するのが一般的です。実際の代金の支払いについては買主との取り決めによります。

そして、売掛金は利益に計上されます。そのため、決算上は利益がたくさん出ていて良い会社に見えながら、じつは大口取引先が倒産するなどして売掛金の回収ができなくなって倒産するケースが出てきます。これが「黒字倒産」といわれるものです。

黒字倒産を避けるには、先にもらってあとで払う「ボリューム経営」のほうが有利なのは明らかです。

ただし、「ボリューム経営」にも注意点があります。手元のキャッシュが豊富なために経営が甘くなることです。無駄な支出やリターンの低い投資を行ったり、不良在庫が大量に発生したりすると、手元のキャッシュが枯渇し買掛金の支払いに困るようになります。小売業で急速に店舗網を広げながら行き詰まるケースなどがそうです。

ただ、中小零細企業で資金繰りが楽なところは多くはないと思いますので、基本的には売上の入金は早く、仕入等の支払いは遅くする努力をするべきでしょう。

《サブスク経営》

これからの時代に最も有望なビジネスモデルが「サブスク経営」です。

サブスクとは「サブスクリプション」の略で、特定の商品やサービスを定額で提供するビジネスモデルです。月極料金の新聞や駐車場など昔からサブスク型のビジネスはありました。ただ、以前であれば売り切り（買い切り）が当たり前だった商品やサービスが、次々とサブスク型に切り替わっています。定額で音楽聞き放題の「Apple Music」や「Spotify（スポティファイ）」、映画やドラマを定額配信する「Netflix」や

「Hulu」などが代表的です。

最近はさらにファッションや家具、車、食品業界などにもサブスク型のサービスが広がっています。

事業者（企業）にとってサブスク型はファンを囲い込み、安定した売上が見込めるので、ある意味究極のビジネスモデルといえます。中小零細企業もこれを参考にし、取り入れないという手はありません。

建設業を考えてみましょう。建物のメンテナンスや修繕について、あらかじめ取り決めた範囲については定額で何度でも対応するというサービスを販売するのです。法人の外注先として業務を受ける場合も、案件ごとにいちいち見積もりを出すのではなく、割安な定額制にしてリピーターになってもらうという方法が考えられます。

サブスク型はビジネスモデルの最終型だといえますが、それが顧客に受け入れられるには一定の技術力やサービス品質、価格設定にしなければなりません。

それでも、ボリューム経営からさらにサブスク型に進化すると経営は安定し、計画的な人材育成もできて優良企業になりやすいといえます。

キャッシュリッチは時間の余裕を生む

ボリューム経営やサブスク経営によってキャッシュリッチな企業になれば、経営者には時間の余裕が生まれます。キャッシュは時間にほかなりません。その時間を使って新たな商品企画や販路開拓を考えたり、技術開発に打ち込んだりすることもできます。

逆に、キャッシュが足りない企業の経営者は資金繰りにいつも追われています。

中小零細の経営者はみなさん、優れた営業マンであったり技術者であったりします。そうした強みを発揮するには時間の余裕が必要です。

経営者が資金繰りに汲々としていては、いいアイデアも浮かびません。会社経営がどんどん難しくなっていきます。

企業再建とは結局のところ、キャッシュリッチな企業になり、経営者に時間の余裕が生まれ、新たな成長戦略に全力で取り組める状況をつくることなのです。

インフレ時代の企業経営

コロナ禍まで政府はデフレにならないように金をばらまき、企業の経営や雇用を維持しようとしました。しかし、これからはおそらく違います。

これからの時代は、なんでも内製化したり人を増やしたりして売上を伸ばすという考え方自体がナンセンスになると思います。そもそも優秀な人材を採用しようと思ってもうまくいかないでしょう。

よくあるのがEC通販を始めたらヒットし、新たに工場を買収し、人員を雇って、配送まで全部自社でやろうとするケースです。確かに荷物の個数が増えれば配送コストも単価的には安くなります。

しかし、EC通販としての強みはどこにあるのか。それは魅力的な商品企画であり、インターネットを活用したマーケティングであり、さらには顧客とのコミュニケーシヨンでしょう。それ以外については専門企業に外注したほうが業務品質も安定し、コストも結果的には安くて済みます。

こうした発想が中小零細企業の企業再建においても求められます。

第3章
中小零細の
事業再生パターンと手法

1 企業再建に成功する経営者の共通点

雨が降っても自分のせい

いまや中小零細企業の企業再建は日本全体の課題です。それゆえ「ゼロゼロ融資」にしろ「コロナ借換保証」にしろ政府も非常に力を入れています。

しかし、いま存在する中小零細企業がすべて5年後、10年後も残っているとは思えません。

事業がうまくいかない理由はいろいろあるにしろ、松下幸之助の有名な言葉のように「雨が降っても自分のせい」くらいに思えるかどうか。経営者たるもの、自社の経営を景気や社会、政治や人のせいにしているうちはうまくいきません。企業経営におけるすべての責任は経営者である自分が負う。そのための用意をする。予想外のことであっても、そこまで予想していなかった自分の責任である——そういう覚悟がなければ企業再建は始まりません。

また、人を雇い、取引先に喜んでもらい、税金を払い、社会において役に立とうと思っている経営者にのみ道は開けるのだと思います。


たとえいまは苦しくても、事業が回って資金が流れるようになれば借入（債務）がいくらあろうが返済できるはずであり、そこにもっていくのが企業再建です。うまくいけばニューマネーも調達できるようになり、さらに会社が大きく成長すれば将来、ＩＰＯ（新規株式公開）も夢ではありません。

そうやってピンチを乗り越えて大企業になった会社はこれまでにいくつもあります。どんな優良企業もかつては資金繰りに苦しんできたことを忘れてはなりません。

決算書が読めることは最低限の条件

経営者はビジネスにおけるひとつの専門職です。求められるのは24時間365日、休日においても会社のことを考えることです。

その前提として自社の経営状況を把握するため損益計算書（PL）、貸借対照表（BS）など決算書が読めることは不可欠です。これからの時代、経理は税理士や会計士に丸投げで期末になってようやく今期はどれくらい儲かったのか、税金はいくらくらいになるのかしかチェックしないような経営者は経営者の名に値しません。

もちろん、多くの経営者は時間をとって会計や財務の勉強をしているのではなく、経営の実践を通して学んでいます。実践を通して学ぶから身に付くともいえます。

決算書が読めると会社のどこに無駄があるのか、何が弱点なのか、人員の配置をどうすればいいのか、最近注目されているDXやAIをどう扱えばいいのかが見えてきます。いまからでも遅くありません。事業再生は自社の決算書と向き合うところから始まります。

不思議に共通する4つのポイント

以上は企業再建にあたって経営者に求められる最低限の条件です。そのほかにも企業再建に成功する中小零細の経営者にはいくつか共通点があります。

第一に、家族や夫婦の仲が良いことです。とくに夫婦仲が悪いとなぜかうまくいきません。

経験豊富なコンサルタントに聞くと、企業再建の相談に来たのにコンサルタントの前で夫婦げんかを始め、「あなたが大丈夫だと言ったのに」などと奥さんが旦那さんを責め、旦那さんがじっと黙り込んでしまうようなケースがあるそうです。すべては経営者の責任だとはいえ、また経営者は孤独だとはいえ、この世に誰か一人でも味方がいるかいないかは大きな違いです。身近な配偶者のほか、苦楽を共にして思いを分かち合える経営幹部がいればさらに心強いでしょう。

第二に、自宅を守ることです。自宅を守るとなぜか事業も守ることができるのです。逆に、担保である自宅を取り上げられ、別のところに引っ越して企業再建を成功させたケースは中小零細企業では意外に少ない印象です。

もちろん、中堅企業や大企業になると違うこともありますが、中小零細企業では自宅を取られたとたんに経営者の気持ちが萎えてやる気がなくなることが多いのです。さらにいえば、自宅の所有権を手放してもいいのですが、そこに住み続けることが大事です。そういう意味では、中小零細企業の経営者にとって自宅のリースバック（自宅を売却したあと、その家を賃貸住宅として借りて住み続けること）は有効だと思います。

第三に、常に経営のことを考えていることです。もちろん、中小企業の経営者にも息抜きや休日、睡眠は必要です。ただ、頭の片隅でいつも経営を考えているという感覚が重要です。

それは仕事が好きということとは別です。仕事が嫌いな人はもちろんNGですが、仕事が趣味というのとは違います。趣味になると面倒なことはやらなくなるからです。

製造業系の中小零細企業の経営者に多いのは、アイデアマンで毎日、朝早くから工場に来て試作品をつくったり、設備の手入れをきちんとしたりしているタイプです。業績が良いときはそれでいいのですが、経営が悪化したときは広い視野を持って合理的な発想をし、思い切った決断も必要です。

最近、日本でもようやく大手企業ではプロ経営者が出てきました。この流れが中小零細企業にも広がっていくことが大事だと思います。

第四に、仕事以外に趣味を持つことです。

こういうと「私はゴルフが好きです」と言う経営者が多いのですが、ゴルフは所詮、取引先との仕事の延長線上にあります。ゴルフを使った仕事の打ち合わせといっていいでしょう。

そうではなく、仕事とは直接、関係のない趣味を持つのです。なぜなら趣味を通して普段とは違う視点を持つことができ、発想の幅も広がります。何より時間の感覚がリセットされ、気分転換になります。

最近の若手経営者にはジムに通って厳しいトレーニングをしたり、なかにはトライアスロンやマラソンに挑戦したりする人もいますが、おそらく同じことでしょう。

経営のことを常に考えるのが経営者だとはいっても、それだけでは煮詰まってきます。集中と発散の繰り返しが〝経営者脳〟のコツだと思います。

経営者に必要なのは意識改革

経営がうまくいっていないのであればどこかに原因があります。それを「世の中のせい」「コロナのせい」と考えているとしたら危ないと思います。

たとえば、新商品の開発や新しい販路開拓は本当は業績が良いときにやるべきことです。業績が良いからといって次の手を打っていなかった会社は、業績が悪化したときの対応ができません。苦しくなってからあれこれ始めるのでは手遅れです。


なぜそうなってしまったのか。

結局のところ経営がうまくいっていない最大の原因は経営者の意識です。経営不振をまず「自分の責任」と考えられるかどうか。中小零細の企業再建は、経営者の意識改革から始まります。

経営者の意識改革をサポートするのは、本来は身近にいる顧問の弁護士、税理士、社会保険労務士などの専門家であるべきですが、こうした専門家も経営全体を俯瞰して見るというのはあまり得意ではなく、結局はそれぞれの専門的な観点からのアドバイスやサポートしかできていません。

経営者自身がそのことに気づき、自分から変わろうとしない限り、企業再建は難しいといわざるを得ません。

経営から身を引くという選択肢も

今回のコロナ禍を経験し、会社や事業の存続は図りつつ経営から身を引こうという経営者もいるでしょう。かつてはギリギリまで資金繰りなどに奔走し、自力でなんとか立ち直ることができたのに、ある日パタッと倒れてしまうケースも少なくありませんでした。

そこにいま第三の道として、事業承継やM&Aが注目されています。事業承継で会社を引き継ぐのは親族か従業員が中心ですが、第三者への事業承継であるM&Aも増えてきています。こうしたケースが当たり前になれば会社は倒産を免れ、従業員の雇用も守られる可能性が広がります。

なお、法律、税務、補助金などについてはそれぞれの専門家に相談すればよいですが、最終的にどれを選ぶのかは経営者の判断です。

2 金融機関との交渉

金融機関と交渉するのは当たり前

日本人はどうも寡黙を良しとする傾向があり、自分の考えを強く主張したりハードな交渉を重ねたりすることが苦手です。そのためか中小零細企業の経営者の中には、金融機関がいうことをすべて鵜呑みにして正しいと思っている人が少なくありません。

もちろん、金融機関から資金を調達する際には資金の使途や必要額、返済原資などについて尋ねられます。資金繰りが苦しくて返済額の軽減を依頼する場合なら、いくらまで減額するのか、どのように経営を立て直すのか、返済の見通しはどうなのかを説明しなければ相手にされません。

しかし、金融機関は自分たちの利益のために判断し、行動しています。お互い営利企業として対等な立場で交渉するのが大前提です。借入（融資）についても、借りるときはもちろん、返済している途中においても金融機関との交渉は可能ですし、それは恥ずかしいことでも特別なことでもありません。

もちろん、「借りたものを返す」のは当たり前のことです。ただ、それは会社が返せる限度においてという条件が付きます。以前のように経営者が個人保証（経営者保証）し、最後は個人資産まで全部失ったり、保険金のために自殺したりするといったことはあってはなりません。

金融機関と交渉するには当然、きちんとしたデータや計画が必要です。そもそも隠し事があってはいけません。代表的なのが売上や在庫をごまかしたり、会社と経営者の間で不透明な資金のやり取りがあったりするケースです。長年にわたって続けているとすぐ解消するのは難しく感じるかもしれませんが、ここは思い切って損失を出してでも正すべきです。

また、金融機関の考え方を理解することも大切です。交渉には相手があります。自分の都合だけ並べ立てるのではなく、相手の視点から考えることで交渉を有利に運ぶことができるようになります。

たとえば、返済のリスケジュールの相談をする場合、経営上の問題があることは金融機関も分かっています。金融機関が知りたいのは原因がどこにあり、今後どう改善していくのか、そして経営者がどこまで本気かということです。

そう考えると、銀行との交渉では事前準備が極めて重要であり、第三者的な立場の専門機関やコンサルタントを活用するべきです。

債務は返済することが大前提

そもそも、企業再建と借入（債務）は基本的に別の話ですが、経営が悪化すると当初どおりの返済は難しく、企業再建のためには過大な借入（債務）についての検討は避けて通れません。

大前提は借りたものは返すということです。どんなに借入（債務）がたくさんあろうが、毎月少しずつなら可能という状態にもっていくのです。それには当然、月次で収支が黒字になることが欠かせません。毎月入ってくるキャッシュで仕入や人件費の支払いができて、税金や社会保険料も納める。その残りで借入（債務）の返済も行います。

そういう状況をつくったうえで、場合によっては担保を提供することで1年間は金利分の支払いだけにしてもらったり、デット・エクイティ・スワップ（DES）のような形で借入（債務）を資本性の貸付に切り替えたりしてもらえないかといった交渉を行うのです。

なお、こうした債務の付け替え、切り替えなどについての金融機関との交渉にあたっては、多少コストがかかっても財務に詳しい自社専属のコンサルタントなどを利用することをお勧めします。

交渉は「中小企業版私的整理ガイドライン」にのっとって

現在、金融機関との交渉は「中小企業の事業再生等に関するガイドライン」にのっとって行うのが基本です。このガイドラインは「中小企業版私的整理ガイドライン」とも呼ばれ、一般社団法人全国銀行協会を事務局とする中小企業の事業再生等に関する研究会がとりまとめ２０２２年３月に公表されたものです。

ちなみに、２００１年に経済団体連合会や全国銀行協会などを委員とする私的整理に関するガイドライン研究会が公表した「私的整理ガイドライン」があり、こちらは主に大企業向けにメガバンクが主導して利用されてきました。

今回のガイドラインは中小零細企業を対象としたものです。

その目的は、①中小企業者の「平時」や「有事」の各段階において、中小企業者・金融機関それぞれが果たすべき役割を明確化し、事業再生等に関する基本的な考え方を示すとともに、②より迅速に中小企業者が事業再生等に取り組めるよう、新たな準

【図表3-1】「再生型私的整理手続」の流れ

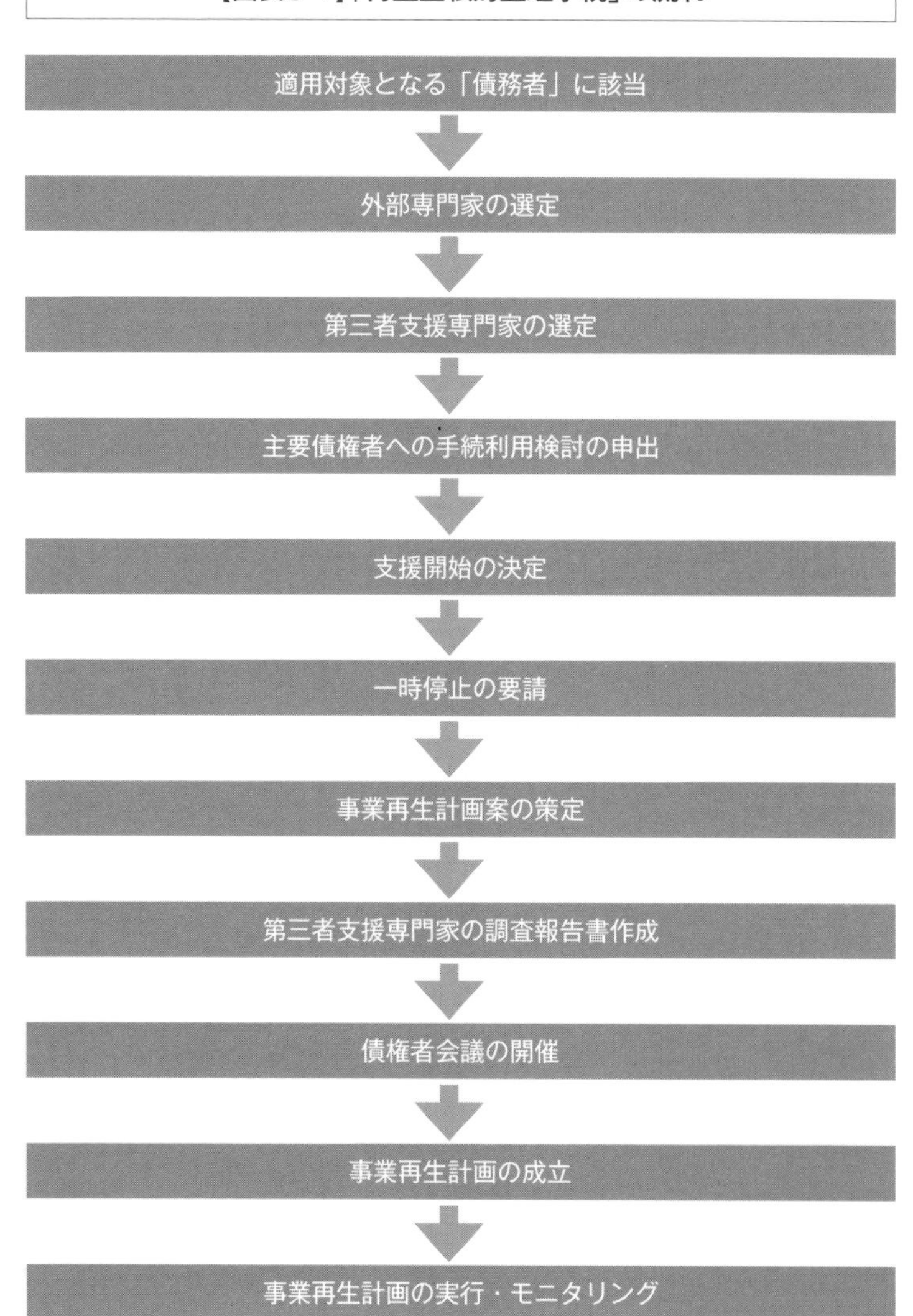

【図表3-2】「再生型私的整理手続」の概要

適用対象となる「債務者」に該当	以下のすべての要件を充足する中小企業基本法第 2 条第 1 項に定義される「中小企業者」（常時使用する従業員数が 300 人以下の医療法人を含む）。 ① 収益力の低下、過剰債務等による財務内容の悪化、資金繰りの悪化等が生じることで経営困難な状況に陥っており、自助努力のみによる事業再生が困難であること ② 中小企業者が対象債権者に対して中小企業者の経営状況や財産状況に関する経営情報等を適時、適切かつ誠実に開示していること ③ 中小企業者及び中小企業者の主たる債務を保証する保証人が反社会的勢力またはそれと関係のある者ではなく、そのおそれもないこと
外部専門家の選定	中小企業者は、事業再生計画案の策定等の支援を行う公認会計士、税理士、中小企業診断士、弁護士、不動産鑑定士、その他の専門家等を選定する。
第三者支援専門家の選定	中小企業者は、独立・公平な立場から事業再生計画案の調査報告等を行う第三者支援専門家を選定する。第三者支援専門家は、弁護士、公認会計士等の専門家であり、かつ、再生型私的整理手続を遂行する適格性を有し、その適格認定を得たもので、対象債権者との間に利害関係を有しない者でなければならない。 ※該当する専門家については、中小企業活性化全国本部及び事業再生実務家協会がそれぞれ候補者リストを公表している。
主要債権者への手続利用検討の申出	中小企業者は主要債権者に対し、再生型私的整理手続の利用を検討している旨を申し出るとともに第三者支援専門家の選任について、主要債権者全員からの同意を得る。 ※主要債権者とは、保全の有無（担保により保全されている債権者であるか否か）を問わず、金融債権額のシェアが最上位の対象債権者から順番に、そのシェアの合計額が 50%以上に達するまで積み上げた際の、単独または複数の対象債権者をいう。また、主要債権者は、手続の初期段階から、潜在的な債権者である信用保証協会と緊密に連携・協力することとされている。
支援開始の決定	主要債権者の意向も踏まえ、支援開始の決定が行われる。 ※主要債権者の意向とは、具体的な計画案への同意の可能性までを確認する必要はなく、再生型私的整理手続を利用して当該中小企業者の事業の再生の検討を進めていくことに対して否定的でないことが確認されれば足りる。

一時停止の要請	中小企業者は、支援開始の決定後のいずれかのタイミングで、資金繰りの安定化のために必要があるときは、対象債権者に対して、書面により、一定期間の元金の返済猶予等を内容とする一時停止の要請を行うことができる。対象債権者は、所定の要件を充足する場合、一時停止の要請に誠実に対応するものとされている。
事業再生計画案の策定	中小企業者は、外部専門家の支援を受け、事業再生計画案を策定する。ガイドラインでは詳細が定められているが、特に重要と思われる項目は以下のとおり。 ① 実態貸借対照表　※債務返済猶予の場合は必須とされない。 ② 資金繰り計画（債務弁済計画を含む） ③ 金融支援（債務返済猶予や債務減免等）を要請する場合はその内容
第三者支援専門家の調査報告書作成	第三者支援専門家は、独立・公平な立場から、事業再生計画案の内容の相当性及び実行可能性等について調査し、調査報告書を作成する。
債権者会議の開催	中小企業者により事業再生計画案が作成されたあと、原則としてすべての対象債権者による債権者会議が開催される。債権者会議では、中小企業者による事業再生計画案の説明及び第三者支援専門家による調査報告の説明が行われるとともに、質疑応答・意見交換が行われ、対象債権者が事業再生計画案に対する同意・不同意の意見を表明する期限を定める。
事業再生計画の成立	すべての対象債権者が事業再生計画案について同意し、第三者支援専門家がその旨を文書等により確認した時点で事業再生計画は成立し、対象債権者の権利は、成立した事業再生計画の定めによって変更される。 ※事業再生計画案に対して不同意とする対象債権者は、速やかにその理由を第三者支援専門家に対し誠実に説明する。その際、可能な範囲で、不同意とするにあたっての数値基準などの客観的な指標や、その理由について具体的な事実をもって説明することが望ましいとされる。
事業再生計画の実行・モニタリング	事業再生計画の成立後、中小企業者は同計画を実行する義務を負う。外部専門家や主要債権者は、事業再生計画成立後の中小企業者の事業再生計画達成状況等について、定期的にモニタリングを行う。 ※モニタリングの期間は、原則として事業再生計画が成立してからおおむね3事業年度（事業再生計画成立年度を含む）を目途とする。

則型私的整理手続を定めることです。

そして、この準則型私的整理手続には「再生型私的整理手続」と「廃業型私的整理手続」のふたつが設けられています。

かつては、金融機関からの借入（融資）の返済が厳しくなると親族から資金を借りたり、最悪の場合は高利の金融業者から資金を借りたりして行き詰まるケースがありました。いまだに中小零細企業の経営者の中には、そのパターンから抜け出せない人もいるようです。

中小零細企業の経営者にはもともと優れた営業マンや技術者が多いのですが、資金繰りに追われるようになると前向きの発想ができず、本来の強みを発揮できなくなります。その結果、経営が行き詰まるのです。

バブル崩壊やリーマンショックのときとは時代が変わり、債務の整理はガイドラインにのっとって行うことが当たり前になりました。ただし、金融機関から言い出すわけではありません。金融機関としては客観的なデータを出し、一定の手続きを踏んでくれれば返済期間の見直しや元金の減免等について「異論はない」というスタンスであることをよく理解しておきましょう。

「再生型私的整理手続」のポイント

「中小企業版私的整理ガイドライン」における「再生型私的整理手続」のポイントをいくつか挙げておきます。

第一に、対象となる債権者は以下のとおりでかなり幅広くなっています。

①銀行
②信用金庫
③信用組合
④労働金庫
⑤農業協同組合

⑥漁業協同組合
⑦政府系金融機関
⑧信用保証協会（代位弁済を実行し、求償権が発生している場合。保証会社を含む）
⑨サービサー等（銀行等からの債権の譲渡を受けている債権回収専門業者等）
⑩貸金業者
⑪私的整理を行ううえで必要なときはその他の債権者

第二に、中小零細企業者から対象債権者に対する事前相談は、手続きの利用要件ではありませんが、できる限り時間的余裕をもって事前相談することが望ましいとされています。

第三に、支援開始決定前であっても、中小零細企業者が主要債権者やその他の対象債権者に対し元金返済の一時猶予などを要請することは妨げられません。とくに、事業再生計画案に債務減免等の要請が含まれる可能性のある場合は、再生の基本方針が対象債権者に示されていることが必要です。

第四に、事業再生計画の作成にあたっては、実態貸借対照表、資金繰り計画（債務弁済計画を含む）のほか、金融支援（債務返済猶予や債務減免等）を要請する場合はその内容を含むとともに、以下の点を満たす必要があります。

①実質的に債務超過の場合、事業再生計画成立後最初に到来する事業年度開始の日から5年以内を目途に実質的な債務超過を解消するものであること

②経常利益が赤字の場合、事業再生計画成立後最初に到来する事業年度開始の日からおおむね3年以内を目途に黒字に転換する内容とすること

③事業再生計画の終了年度（原則として実態債務超過を解消する年度）における有利子負債の対キャッシュフロー比率がおおむね10倍以下となる内容とすること

④金融支援を要請する場合、経営責任の明確化

⑤債務減免等を要請する場合、株主責任の明確化

⑥経営者保証がある場合、保証人の資産等の開示と保証債務の整理方針を明らかに

すること

また、このガイドラインに基づく事業再生計画などの策定等を支援する外部専門家や第三者支援専門家の各費用については、中小企業庁による3分の2（1案件につき上限の合計700万円〈消費税込み〉）の補助が受けられることになっています。

①事業精査（DD費用）等（上限300万円）

②計画策定支援費用（上限300万円）

③伴走支援費用（上限100万円）

資金繰りの改善にはファクタリングの活用も

資金繰りの改善には借入（融資）のリスケジュールや借換のほか「ファクタリング」という方法があります。ファクタリングとは売掛債権を期日前に第三者に譲渡して現金化する資金調達法のひとつです。

【図表3-3】三者間ファクタリングのイメージ

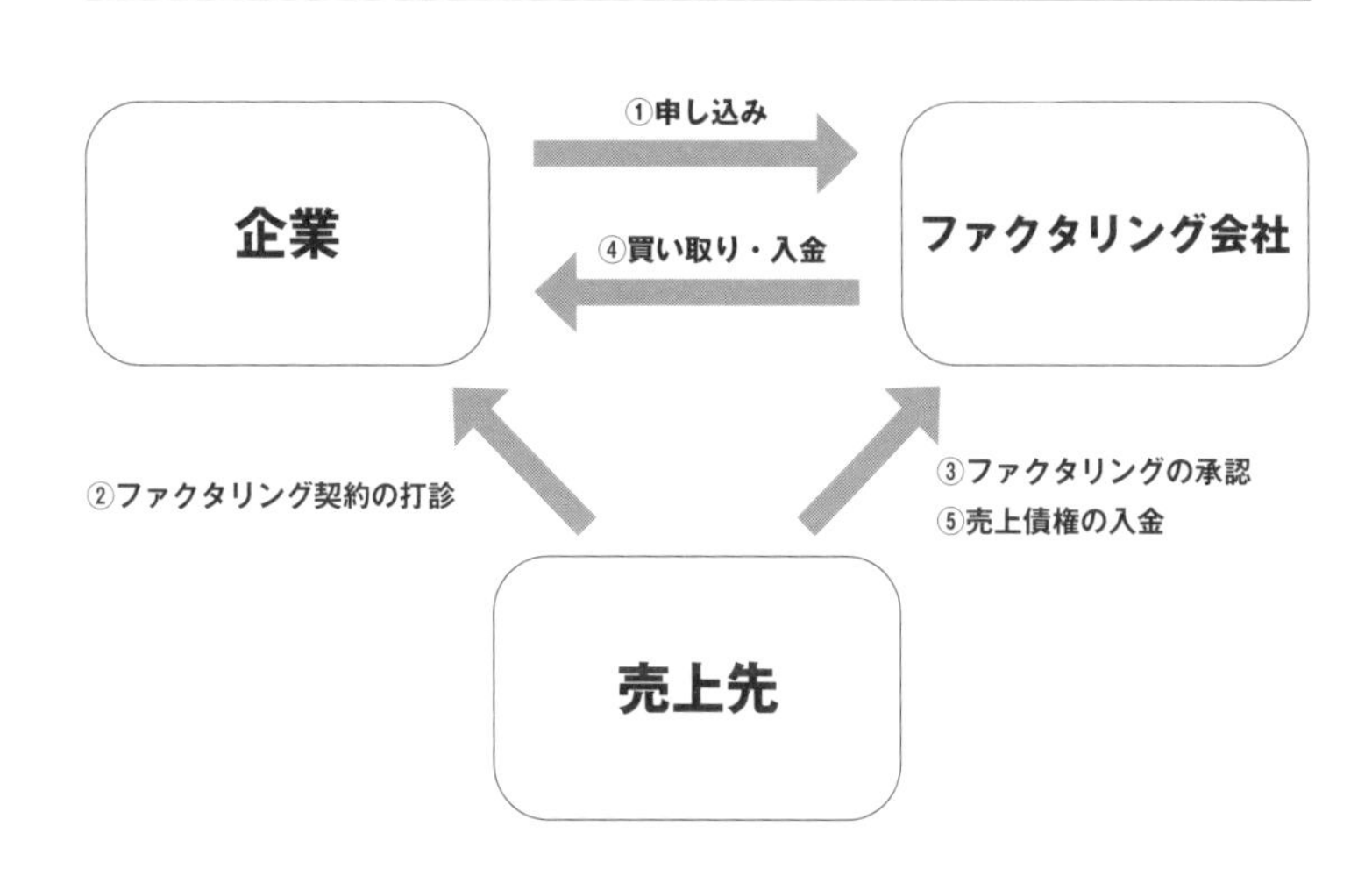

一般に小売業や飲食業は個人相手の現金商売が中心で、ＣＣＣ（キャッシュ・コンバージョン・サイクル）は短いか、場合によってはマイナスになることもあります。

これに対してＢｔｏＢや官公庁相手の事業の場合、商品やサービスの納品から代金の回収まで数カ月以上の時間差がある「掛取引」が一般的です。

その間は売掛金や受取手形という売掛債権を保有する状態となり、資金繰りに余裕がない中小零細企業は仕入代金や給与の支払いのために早く現金化したいというニーズがあります。そう

【図表3-4】ファクタリングのメリット

①売掛債権を早期に資金化できる

②売上先の信用力を利用して資金調達できる

③融資ではないので信用情報の影響がない

④税金未納や財務内容が悪化しても資金調達が可能

⑤銀行融資よりも短期間で資金調達が可能

したときに便利なのがファクタリングです。

あるいは、建設業においては受注が確定すれば工事完了時にいくらキャッシュが入るかが分かることがよくあります。その場合、発注書を担保にしたファクタリングも行われています。ただし、売掛債権に譲渡禁止特約が付いていたり、相殺の合意があるようなケースはファクタリングに向きません。

ファクタリングには三者間と二者間がありますが、一般に多いのは三者間ファクタリングです。その場合、ファクタリング会社、ファクタリングを利用する企業、そして売上先の三者が関係します。利用企業はファクタリング会社に申し込むと同時に、売上先に債権譲渡の同意を得ます。そして、期日になると代金は直接、ファクタリング会社に支払われることで取引は完了します。

金融機関からの借入（融資）と比較した場合、ファクタリングには次のような特徴があります。

まず、金融機関からの借入（融資）は返済が前提ですが、ファクタリングは売掛債権などの売却なので、もし売掛債権が回収不能になったとしても買い戻す必要はありません。

また、金融機関からの借入（融資）では、融資を受ける企業の返済能力や事業性等を中心に審査が行われるのに対し、ファクタリングでは売掛債権の支払い義務を負っている売上先が審査の対象となります。つまり、中小零細企業にとっては自社の経営状態にかかわらず、売掛債権が大手企業のものであれば有利な条件で資金調達できる可能性があります。

一方、注意点としては、手数料が融資金利よりやや高く、手続きがやや面倒で、売上先にファクタリングの利用が知られてしまうという点も挙げられます。ファクタリングを利用するということは資金繰りが苦しいのではないかと思われ、信用面に影響が出るかもしれないからです。

中小零細企業の間でファクタリングはかなり一般的な資金調達法として定着してき

ていますが、なかにはファクタリングを装った高金利の貸付を行う業者もあるので注意が必要です。

3 本業の立て直しと磨き上げ

まずは経費削減から

金融機関との交渉や債務の整理はあくまで企業再建の基礎固めのためです。それだけで企業再建ができるわけではありません。

今回のコロナ禍についても、流行は終息したものの以前の状況に単純に戻ってはいません。たとえば、DXを積極的に導入した企業は一足先に業績を回復させていますが、以前と同じ人海戦術に頼った事業を行っている企業は人手不足から売上の回復などが遅れ、中には消えていくケースも出始めています。

実際、帝国データバンクの調査によれば、従業員の離職や採用難等により人手を確保できず、業績が悪化したことが要因となって倒産した「人手不足倒産」が2023

【図表3-5】年度別倒産件数の推移

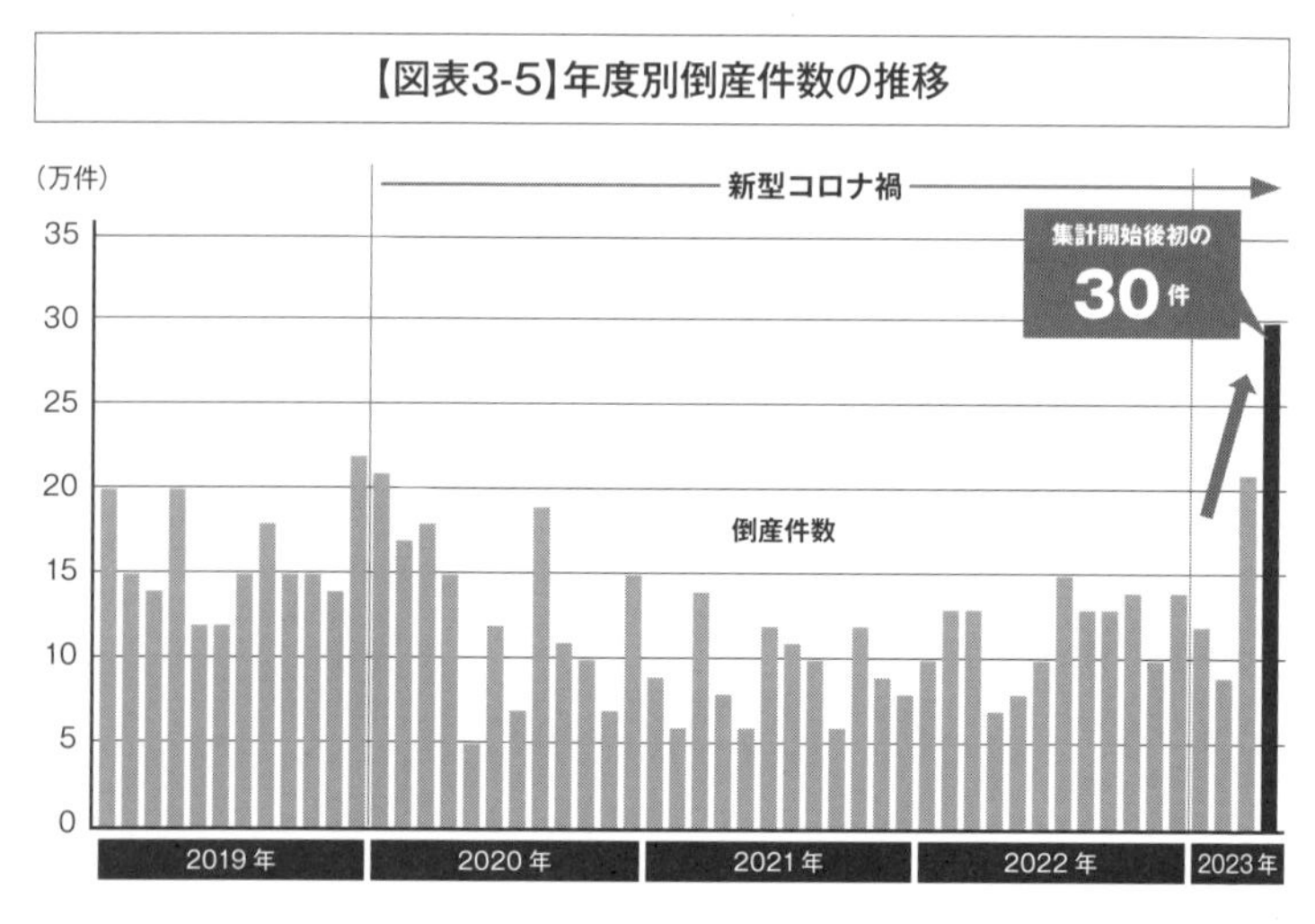

出所：帝国データバンク「全国企業倒産集計 2023年4月報別紙号外リポート：人手不足倒産」

年4月に30件あり、２０１３年1月に集計を開始して以降で最も多くなったそうです。

業種別に見ると、建設業、サービス業がそれぞれ11件で最も多く、建設業では有資格者や営業マンなどが退職したことで事業の継続が困難となった「従業員退職型」の倒産が目立ちました。サービス業ではシステムエンジニア不足のソフトウエア業、看護師資格を持った人材の確保ができずに行き詰まった看護業、慢性的なドライバー不足に悩む運輸業など同じような傾向が見られます。

また、同社が２０２３年４月に実施し

【図表3-6】人手不足倒産業種内訳

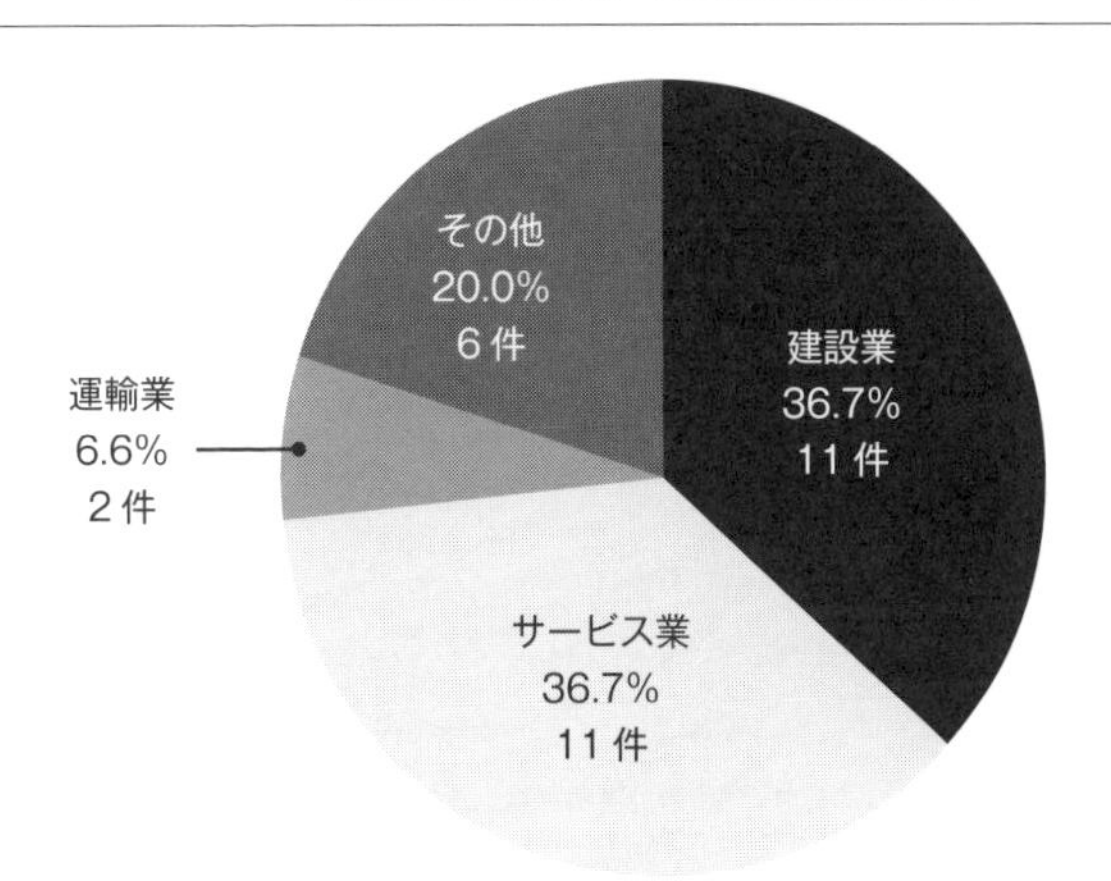

出所:帝国データバンクのデータよりPMGパートナーズ社が作成

た調査では、2023年4月時点で人手不足を感じている企業の割合が51・4%(正社員ベース)に達し、過去最高だったコロナ禍前の53・9%(2018年11月)に迫りつつあります。こうしたことから人手不足に起因した倒産がさらに増える可能性が高いようです。

こうした状況を考えると、資金繰りの改善に目途をつけたら、本業の立て直しと磨き上げにすぐ取り掛からなければなりません。その王道は、売上を増やすよりもまず利益を確保することです。経常赤字の状態にあるのであれば少なくとも黒字転換させることが不可欠です。

利益を増すための方法はいろいろありますが、経営状況が悪化している企業で最優先すべきは経費の削減でしょう。とくに、接待交際費や私用など経営者の経費はまっさきに見直しが必要です。そのほか過去から続けているというだけの取引先の見直しなどもすぐ行いましょう。社員から経費削減の提案を定期的に募り、採用されたものには報奨金を出すといった取り組みもよいと思います。経費削減には現場をよく知る社員の視線はとても有効です。

見過ごしていた収益源を探す

それと同時に、見過ごしていた収益源にも目を向けてみてください。きちんと利益を確保できるにもかかわらず、私たちから見ると「なんでこんなに遠慮しているのだろう」という点があったりします。

たとえば、建設業では顧客に頼まれて、小規模な修繕や部品交換を行ったりしているでしょう。その際、マージンを建設工事と同じように3割程度に設定していることがあります。顧客にしてみれば、早く対応してくれることが最優先であり、費用も少額なのでマージンが5割程度でもほとんど気にすることはありません。自社にとっても手間暇がかかるわりに売上は少ないのですから、利幅を厚くするのは当然です。ほかの業種業界でも、本業の周辺などに意外な収益源が潜んでいたりします。

数値に分解して考える

収益改善にあたっては、数値に分解して考えることも重要です。

売上は基本的に【販売数量×販売単価】で決まります。そして、粗利（売上高総利益）は【売上－売上原価】、営業利益は【粗利－販管費】のことです。この原則は業種や企業規模を問わず共通します。

このうち手を付けやすい順としては、直接経費の削減、そして販管費の抑制が挙げられます。

一方、販売数量を増やすのは顧客次第であり、いまの市場環境ではそう簡単なことではありません。それよりは、内容量を減らして販売単価を上げるといった工夫のほうがやりやすいでしょう。販売数量はそこそこ維持していながら利益が上がらない場合も、セット販売などで販売単価を上げることを考えてみます。

漠然と「売上が頭打ちだ」「利益が下がっている」などと言うのではなく、常に数値に分解して具体的に検討する習慣を付けましょう。

社内の風通しを良くする

次に手を付けるべきなのは、組織改革を断行することです。これまで日本では大企業、中小零細企業を問わずピラミッド型・ヒエラルキー型の会社が主流でした。これはあらかじめ定められた一定のルールで動く組織であり、経営環境が安定しているときはそのほうが効率的でした。

しかし、ＶＵＣＡ（ブーカ）の時代と呼ばれる現在、ピラミッド型・ヒエラルキー型では社内のコミュニケーションのスピードが遅く、環境変化に対応できません。
※ＶＵＣＡ：Volatility（変動性）、Uncertainty（不確実性）、Complexity（複雑性）、Ambiguity（曖昧性）の頭文字をとったもの

経営不振に陥っている企業でよく見かけるのが、社内の風通しが悪いことです。ピラミッド型・ヒエラルキー型で上意下達の社風が根付いている会社ほど疲弊している傾向があります。社長、取締役、部長、課長、係長、社員といったヒエラルキーの中で情報が渋滞するだけでなく、社員のモチベーションが上がらないからでしょう。

そうした企業は「ユビキタス」の考え方を参考にするとよいと思います。

ユビキタス（Ubiquitous）とは、いつでもどこでも存在するという意味の言葉です。とくにＩＴ分野ではコンピューターやインターネットが至るところに普及し、使いたいときに場所を選ばずに利用できることを表します。コンピューターやインターネッ

トを通じてさまざまなサービスが提供され人々の生活をより豊かにする社会を「ユビキタス社会」と呼んだりもします。

この考え方を企業組織に当てはめるのです。組織はピラミッド型ではなくできるだけフラット型にし、権限はなるべく現場に移譲し、情報がオープンに風通し良く流れるようにします。悪いことも良いことも社内でシェアできるような会社は人材が育ちやすく、事業自体がうまくいくようになります。

あるいは、ピラミッド型・ヒエラルキー型の組織における社員の大きな目標は出世して役員になることですが、ユビキタス型の組織ではやる気のある社員ほど独立し、会社にとっては外注先になってくれます。その結果、「スリム経営」「ボリューム経営」「サブスク経営」がやりやすくなるのです。

規模が小さく、経営者のリーダーシップが発揮しやすい中小零細企業ほどこうした組織体制、組織文化の見直しがしやすいでしょう。

少数だから精鋭になる

組織の見直しでは、人員の整理も当然検討しなければなりません。その際、企業経営における人材の考え方として「少数精鋭」という原則を再確認しておくべきです。

企業に限らずあらゆる組織において、精鋭が揃うと少数になるのではありません。少数でやり繰りしているうちに精鋭が育つのです。

逆に、ベンチャーとして名を馳せた企業が、成長とともに「大企業病」と呼ばれる状況になることがよくあります。優秀な人材の採用には困らないはずなのに、なぜ大企業病になるのか。それは優秀な人材がいれば少数精鋭でやっていけるわけではないからです。むしろ、組織が拡大し人数が多くなると業務を細かく分けて処理するようになります。すると狭い範囲の担当業務のことだけ見て、行動する社員が増えてきます。

中小零細企業ではよく「優秀な人材が来ない」といった声を聞きますがそうではありません。少数でいかに業務をこなすかを工夫し、社員にもそれを求め、きちんとフィードバックを繰り返していけば、精鋭が育つはずです。

業務量が多すぎて処理できなくなったらしっかりした外注先を探し、なるべく社内は少数で回すことを考えましょう。

「事業再構築補助金」の活用

新型コロナウイルス感染症の影響が長期化し、当面の需要や売上の回復が期待しづらい中、ポストコロナ・ウィズコロナ時代の経済社会の変化に対応するために政府では中小企業等の事業再構築を支援しています。

具体的には、新分野展開、事業転換、業種転換、業態転換、または事業再編といった事業再構築に意欲を有する中小企業等に補助金を出しているので、ぜひ活用を検討しましょう。

なお、すべての枠に共通する要件として次のふたつがあります。

【図表3-7】「事業再構築補助金」の主な枠（2023年度）

類型		対象	補助上限	補助率
最低賃金枠		最低賃金引き上げの影響を受け、その原資の確保が困難な事業者	最大 1,500万円	3/4
物価高騰対策・回復再生応援枠		業況が厳しい事業者や事業再生に取り組む事業者、原油価格・物価高騰等の影響を受ける事業者	最大 3,000万円	2/3 （一部3/4）
産業構造転換枠		国内市場縮小等の構造的な課題に直面している業種。業態の事業者	最大 7,000万円	2/3
成長枠		成長分野への大胆な事業再構築に取り組む事業者	最大 7,000万円	1/2（**大規模な賃上げ**達成で2/3へ引上げ） 【補助率引上要件】事業終了時点で①**教諭支給総額+6%以上、②事業場内最低賃金+45円**
グリーン成長枠	エントリー	研究開発・技術開発または人材育成を行いながら、グリーン成長戦略「実行計画」14分野の課題の解決に資する取り組みを行う事業者	最大 8,000万円 （中堅1億円）	
	スタンダード		1億円 （中堅1.5億円）	
サプライチェーン強靭化枠		海外で製造する部品等の国内回帰を進め、国内サプライチェーンの強靭化及び地域産業の活性化に資する取り組みを行う事業者	最大5億円	1/2

業況が厳しい事業者向け（最低賃金枠・物価高騰対策・回復再生応援枠）

賃上げ等へのインセンティブ（成長枠・グリーン成長枠）

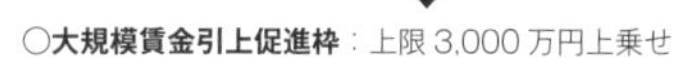

○**大規模賃金引上促進枠**：上限3,000万円上乗せ
○卒業促進枠（中小企業等からの卒業）：上限を2倍に引上げ

①事業計画について認定経営革新等支援機関の確認を受けること

事業者自身で事業再構築指針に沿った事業計画を作成し、認定経営革新等支援機関の確認を受けること。また、補助金額が3000万円を超える案件は金融機関（銀行、信金、ファンド等）の確認も受けること（金融機関が認定経営革新等支援機関を兼ねる場合は、金融機関のみでかまわない）

②付加価値額を向上させること

補助事業終了後3～5年で付加価値額の年率平均3・0～5・0％（申請枠により異なる）以上増加、または従業員一人あたり付加価値額の年率平均3・0～5・0％（申請枠により異なる）以上増加させることが必要

4 会社や事業を譲渡する

企業再建における「M&A」のパターン

企業再建の一環として、会社や事業を第三者に譲渡するケースもあります。いわゆる「M&A」です。M&Aとは「Mergers（合併）and Acquisitions（買収）」の略称で、日本においては会社法の定める組織再編（合併や会社分割）に加え、株式譲渡や事業譲渡を含むさまざまな手法があります。

そのうち中小企業のM&Aでよく用いられるのは次の4つです。企業再建にあたってどれが適切かは高度な判断が必要となるので早めに専門家などに相談して検討することが大切です。

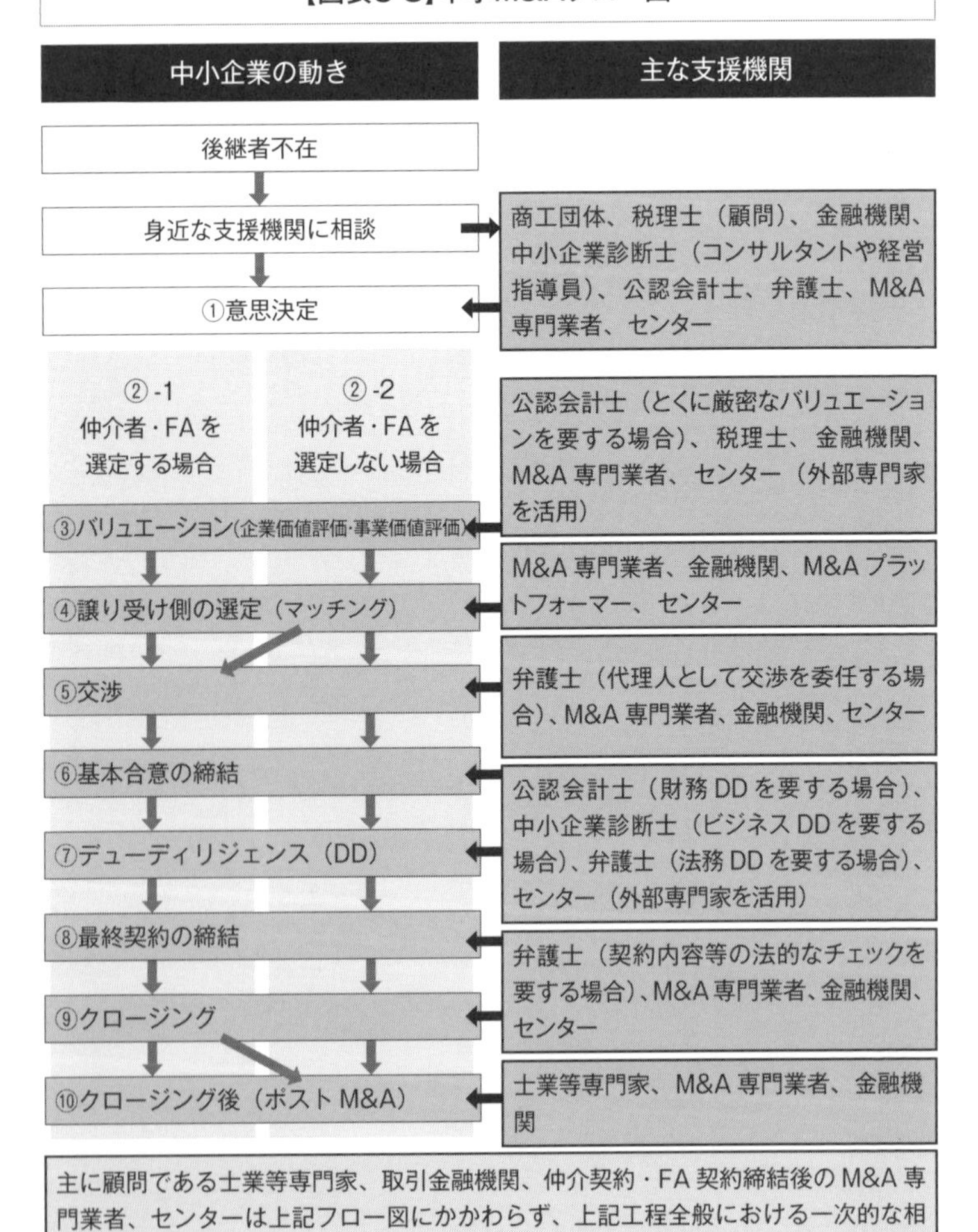

※事業引継ぎ支援センターは「センター」と記載している

出所:中小企業庁「中小M&Aガイドライン（第2版）-第三者への円滑な事業引き継ぎに向けて-」

①株式譲渡
②事業譲渡
③会社分割
④第二会社方式

また、中小企業のM&Aにおける手続きの流れは図表3-8のようになっています。

「株式譲渡」の概要とポイント

株式譲渡は、売り手側の株主が保有している株式を買い手側に譲渡するもので、M&Aにおける最も基本的な手法です。買い手側が法人であれば譲渡された会社はその子会社になります。

株主の顔触れが変わるだけで会社はそのまま引き継がれるため、会社の資産、負債、

【図表3-9】株式譲渡の取引イメージ

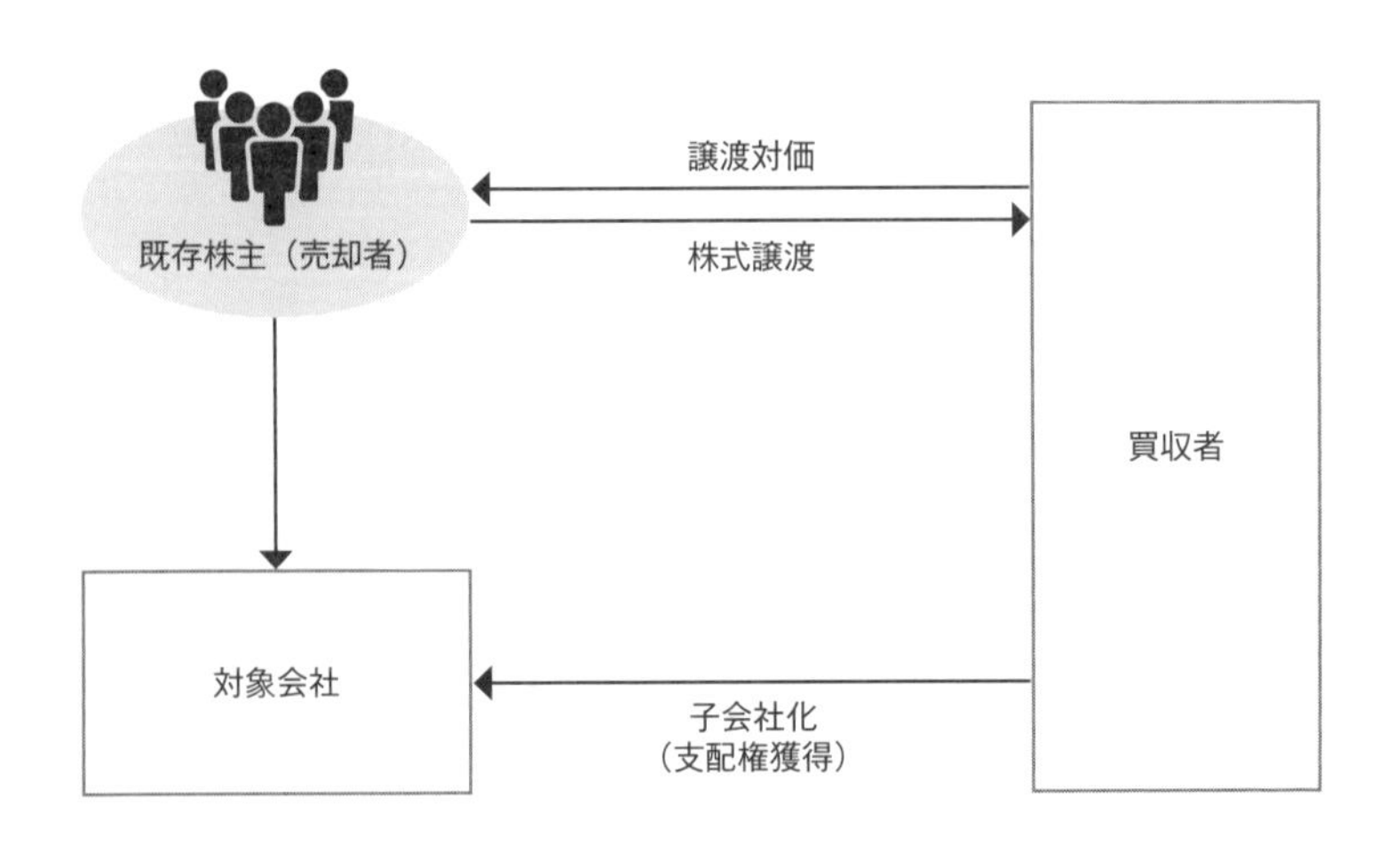

従業員や社外の第三者との契約、許認可等は原則としてそのままです。また、株式を取得したあとに合併等を行い、一定の要件を満たしたときは欠損金を引き継ぐこともできます。

一方、会社がそのまま引き継がれるので、損害賠償など貸借対照表からは分からない簿外債務、現時点では未発生であるものの将来的に発生し得る債務などもそのまま引き継ぐことになり、買い手側にとってはリスクです。

なお、売り手側である経営者は多くの場合、株式譲渡の対価として現金を受け取ります。課税関係については、株式の譲渡益に対する分離課税（税率20・315％）で終了します。

「事業譲渡」の概要とポイント

事業譲渡は、売り手側の企業が保有する事業の全部または一部を買い手側に譲渡するものです。株式譲渡のように会社全体が移転するのではなく、事業に用いている土地、建物、機械設備等の資産や負債、さらにはノウハウや知的財産権等を個別に移転させる必要があります。

そのため、債権債務、雇用関係を含め一つひとつの契約において関係者の同意を取り付けて切り替えていかなければなりません。許認可等については原則、取り直す必要があること、不動産については登記手続が必要なこと、減価償却資産等は消費税の課税売上に該当するため消費税等の課税関係について注意が必要なことなど、手続き面はどうしても煩雑になります。

【図表3-10】事業譲渡の取引イメージ

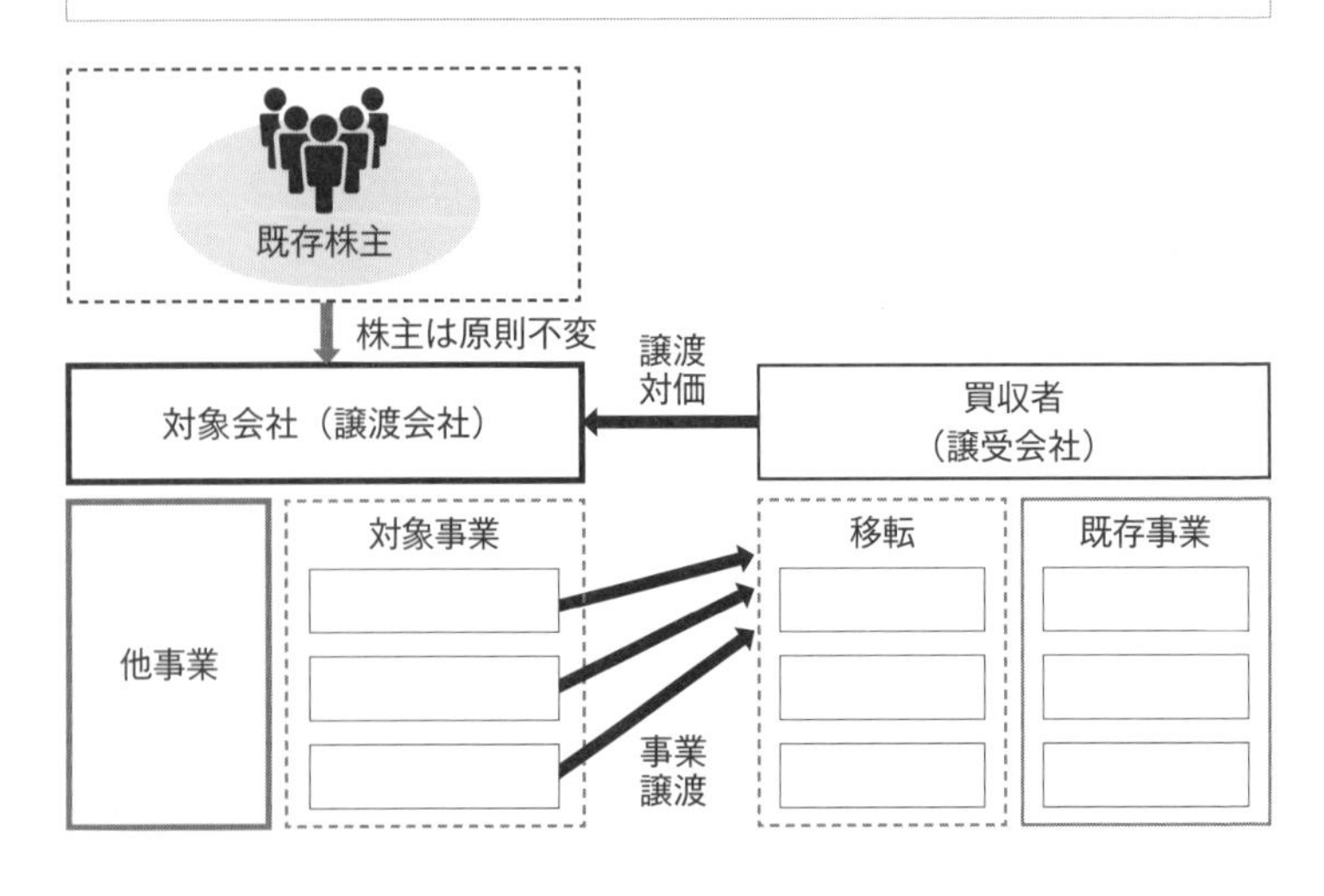

【図表3-11】吸収分割のイメージ

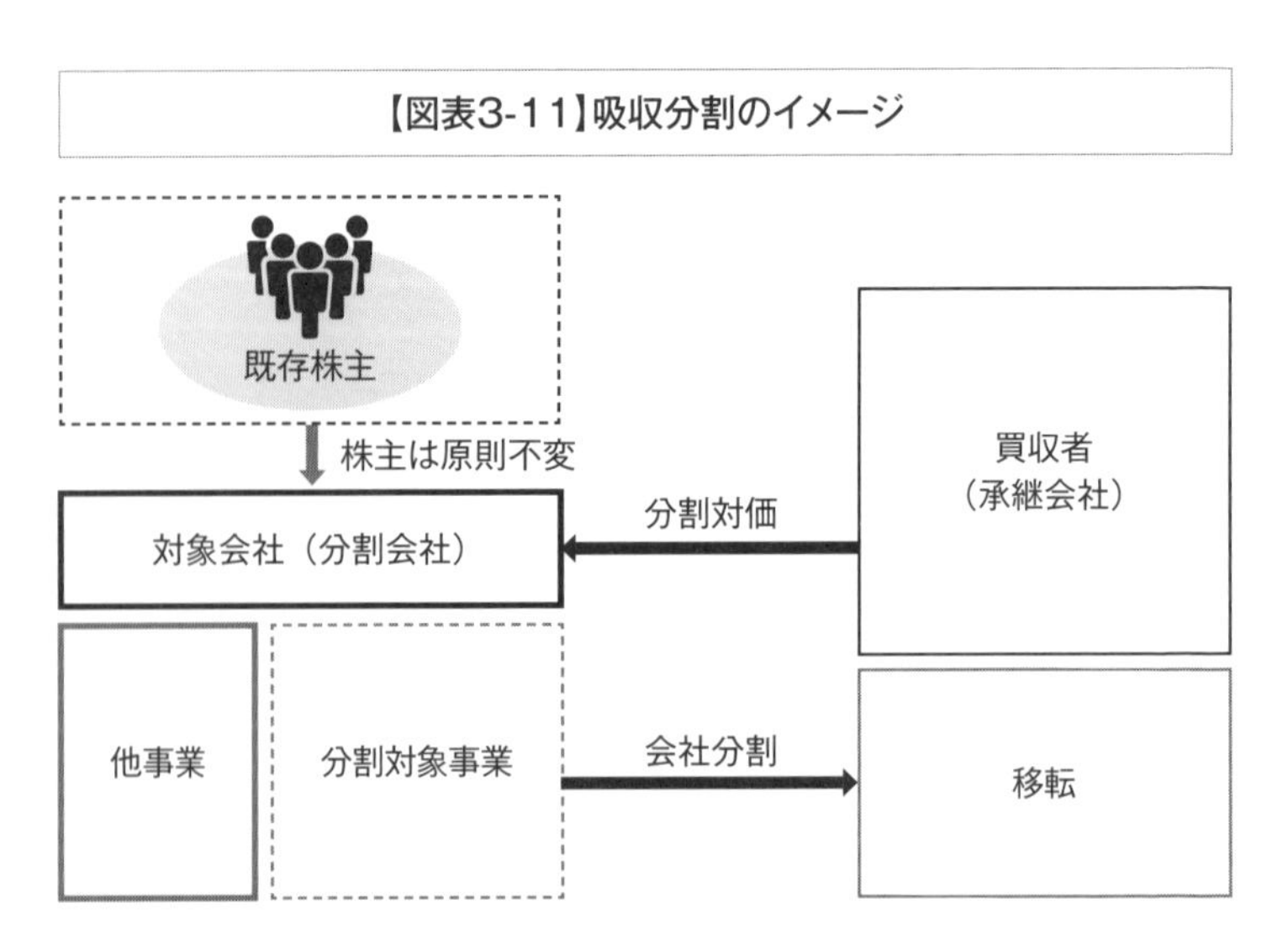

ただ、買い手側にとっては特定の事業や財産のみを譲り受けることができるため、簿外債務や偶発債務といったリスクを遮断しやすいのがメリットです。

なお、事業譲渡の場合、その対価は法人のものとなり、益金に対し法人税等の課税が生じます。その後、株主である経営者に配当または役員報酬等を渡す際、所得税の総合課税（税率15・105～55・945％）の対象となります。そこで、分離課税となる役員退職慰労金の支給と併せて検討するとよいでしょう。

「会社分割」の概要とポイント

会社分割は事業譲渡に似たスキームで、「新設分割」と「吸収分割」に分かれます。「新設分割」は社内の特定の事業部を子会社化するなどグループ内の再編などで用いられます。この場合、分割される会社には新会社の株式が対価として交付されます。いったん新設分割により子会社化を実施したあと、株式譲渡によって子会社を売却す

【図表3-12】事業譲渡と会社分割の実務のイメージ比較

【事業譲渡】

売却者
事業
労働契約
取引契約
各種契約
従業員
取引先
資産・負債

買収者
事業
新・労働契約
新・取引契約
各種権利
巻き直し
巻き直し
対抗要件取得・
債権者の合意取得

【会社分割】

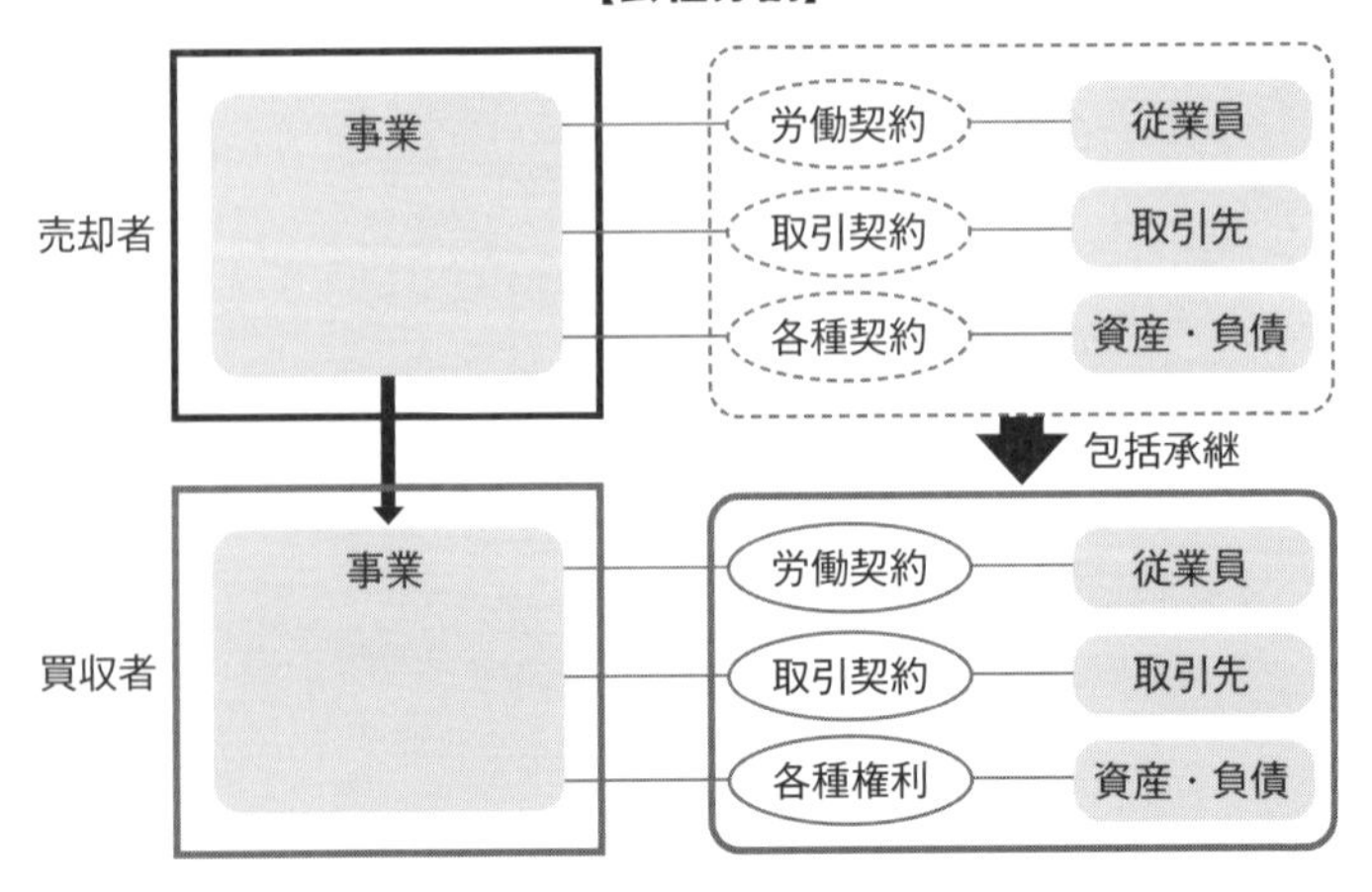

※会社分割の場合、労働契約は労働契約継承法にのっとって承継される。

ることも可能です。ただし、その場合は税務上の検討が必要です。

これに対し、M&Aで用いられることが多いのが「吸収分割」です。通常、分割される会社は買い手側の会社の株式を対価として受領します。

事業譲渡と比較した場合、一部の第三者対抗要件具備などの手続きや登記手続は必要になるものの、基本的には株主総会決議など所定の手続きを行うことで包括的に権利義務関係や許認可が承継されます。その点では株式譲渡と似ているともいえます。

「第二会社方式」の概要とポイント

中小零細企業のM&Aではもうひとつ、「第二会社方式」と呼ばれるものがあります。これは、過剰債務を抱えて経営難に陥っている会社から採算性の良い事業だけを会社分割や事業譲渡によって別会社（第二会社）へ分離することで優良事業の存続を図り、不採算事業と過剰債務は残された旧会社に残し、最終的には清算してしまうものです。

【図表3-13】第二会社方式のイメージ

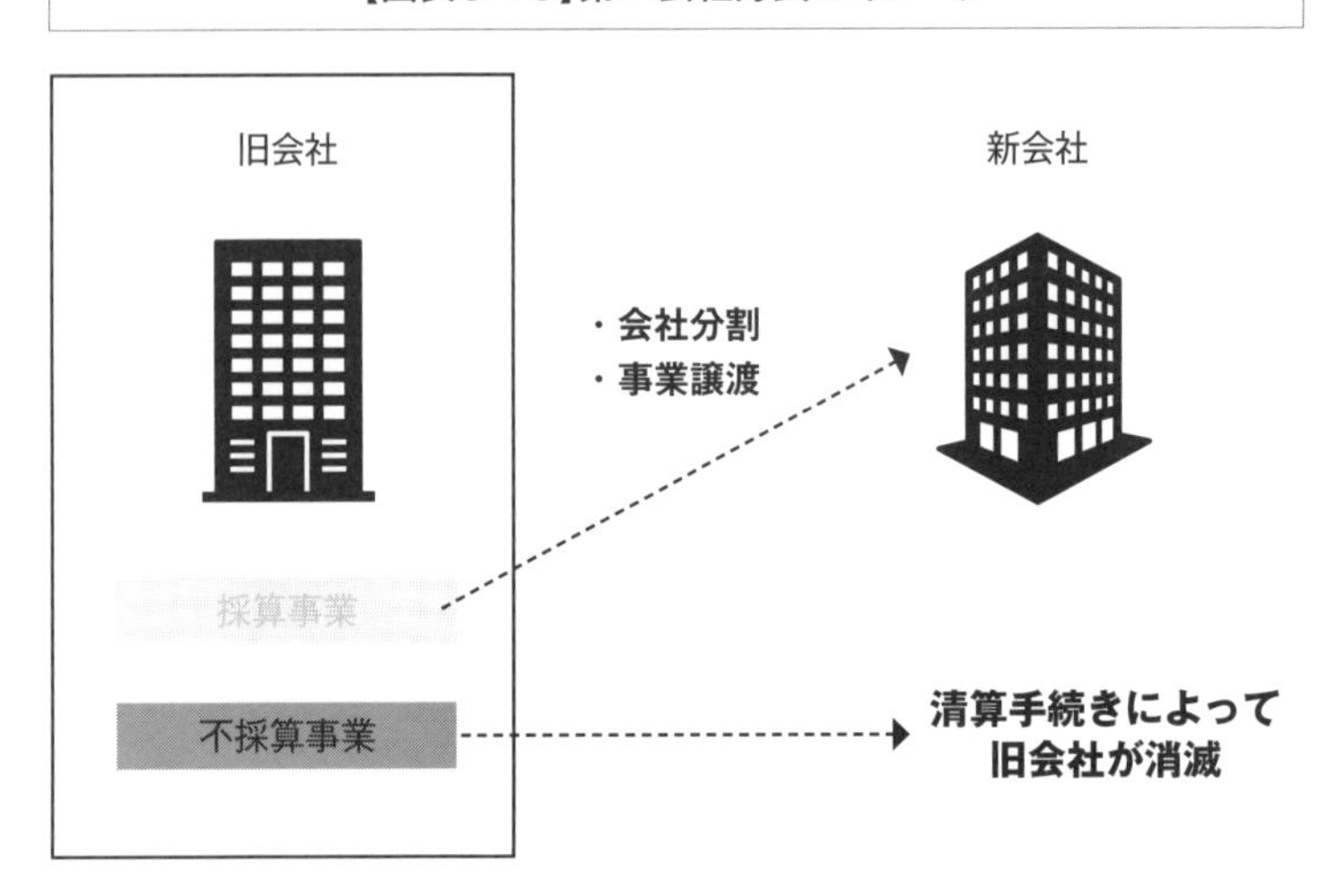

この方式は2009年に施行された「改正産業活力再生特別措置法」により中小企業の事業再生を支援するため「中小企業承継事業再生計画」（第二会社方式による再生計画）を国が認定し、対象企業に各種支援策を与える制度が創設されたことで生まれました。

「中小企業承継事業再生計画」の認定の対象となる企業は、過剰債務を抱えて事業の継続が困難となっている中小企業で、収益性のある優良事業を有しているものです。

認定のためには、（1）中小企業再生支援協議会や事業再生ＡＤＲ、私的整理ガイドラインなど公正な債権者調整プロセスをへて金融機関の合意を得ること、(2)従業員との適切な雇用調整が図られていること、(3)旧会社の取引先の売掛債権を毀損させないことなど、一定の要件が求められています。

「中小企業承継事業再生計画」認定による支援内容としては、①営業上必要な許認可の承継と②登録免許税の軽減措置があります。

債務過剰で事業の継続をあきらめる前に、自社の事業を見直して優良な事業部門がある場合、このスキームを活用することで事業の継続が可能になるケースがあるはずです。早めに専門家へ相談してみるのがよいでしょう。

5 事業承継は別の視点で

「企業再建」と「事業承継」の違い

「事業承継」とは、会社の経営権を後継者に引き継ぐことです。近年、中小零細企業の経営者の高齢化が進むなか、事業承継はますます重要な経営課題になっています。「企業再建」と「事業承継」は別の取り組みですが、場合によっては同時並行的に進めるケースも少なくありません。

なお、事業承継では近年、親族や従業員以外の第三者へ承継するパターンも増えてきています。これはいわゆる「M＆A」にあたり、先ほど触れました。

事業承継のパターンはふたつ

事業承継では、親族内承継と従業員承継のふたつのパターンがあります。それぞれのパターンの概要を紹介しておきます。

①親族内承継

経営者の子など親族が会社を承継するパターンです。会社内外の関係者に受け入れられやすいこと、後継者を早く決めることで準備期間を長くとれること、相続や贈与によって株式を後継者に移転することで所有と経営の一体的な承継が可能なこと、などがそのメリットとされます。

以前は事業承継の多くがこのパターンでしたが、近年は子がいても事業の将来性への不安や経営者保証の問題、子の価値観などから減少傾向にあります。

また、従来は株式の相続税対策をきちんと行うことがポイントのように受け止められてきましたが、いまや引き継ぐ価値のある会社であるかどうかが最大のポイントになってきています。

このパターンをスムーズに実現するには、経営者が自らの引退時期を早めに想定し、そこへ向けて技術やノウハウ、営業基盤の引き継ぎなど後継者の育成に十分な時間をかけ、計画的に取り組むことが大切です。

②従業員承継

親族以外の役員や従業員に会社を承継させるパターンです。自社で働いてきた人材なので事業について理解しており、経営の継続性を担保しやすいといったメリットがあります。実際、親族内承継ほど多くはないものの近年は増加傾向にあります。

一方、あとでもめないよう親族やほかの従業員、取引先の理解と同意を事前に取り付けておくことは、親族内承継以上に重要です。

また、後継者が株式を取得するための資金をどうするかが問題です。その点については種類株式や持株会社、従業員持株会を活用する手法が知られるようになり、また親族以外の後継者についても事業承継税制の対象に加えられたことから、以前より改善されてきています。

「事業承継」の進め方

事業承継をどのように進めればよいか、親族内承継または従業員承継を前提に、ステップを追って見ていきましょう。

《ステップ1》経営者の意識改革

事業承継の第一歩は経営者の意識改革です。中小零細企業の経営者には「まだまだやれる」「自分がやるしかない」と考える人が多い傾向があります。しかし、後継者の育成には5年から10年かかるともいわれており、準備を始めるのは早いに越したことはありません。

経営者がまず、会社の将来を見据えて事業承継についての意識を持つことから事業承継はスタートします。

《ステップ2》経営の「見える化」

事業承継の大前提は「引き継ぐ価値のある会社」であることです。そのためには自社の財務体質はどうなっているのか、ビジネスモデルは市場の変化に対応できるのか、商品やサービスは競争力を維持できるのか、利益をこれからも確保できるのかなどを客観的に把握し、分析してみる必要があります。

そのためのツールとしては経済産業省が公表している「中小会計要領」「ローカルベンチマーク」「知的資産経営報告書」などがあり、中小零細企業でも活用しやすくなっています。

とくにこれからの時代には不動産や設備機器だけでなく、人材、技術、ブランド、ネットワーク、経営理念といった「知的資産」が競争力を高め、利益を生み出す鍵になることを意識しましょう。

《ステップ3》会社の「磨き上げ」

経営の「見える化」を行うと、自社の課題がいろいろ見えてくるでしょう。それらの課題に取り組むうち、また新たな課題が見えてくることもあるでしょう。

経営資源に限りがある中小企業では、課題に優先順位を付けることが重要です。手を付けやすい課題にすぐ飛びつくのではなく、より本質的、根源的な課題を見極めます。そして、「なぜこれをやるのか」「やらなければならないのか」という点について社内の理解を得ることが欠かせません。そうした取り組みが会社の「磨き上げ」につながります。

根底にあるのは「こんな会社にしたい」という経営者の強い思いです。社内外にその思いを伝えながら企業価値を高めていくことこそ事業承継の王道です。

《ステップ4》事業承継計画の策定

会社の「磨き上げ」を進めるのと並行し、後継者候補を選び、育成していきます。

その際にぜひつくっておきたいのが事業承継のロードマップである「事業承継計画」です。

事業承継計画では、経営の「見える化」や会社の「磨き上げ」を通して見えてきた課題を踏まえた経営方針、方向性、目標などを設定し、それに基づいた事業承継のための具体的な行動計画を立てます。

また、策定した事業承継計画は、金融機関や従業員などの関係者、ステークホルダーと共有するようにします。

《ステップ5》事業承継の実行

事業承継計画に基づき、タイミングを見ながら経営者の交代、株式の移転、各種引き継ぎなどを実行します。

これまでは事業承継といいながら先代経営者がそのまま実権を握り続けるというケースも見られました。もちろん、さまざまな場面で先代経営者のサポートが必要な場面もあるでしょうが、これからの時代にそれでは通用しません。迅速な意思決定や社内外の協力獲得のため、内実の伴った事業承継の実行が欠かせません。

「事業承継税制」を上手に使う

「事業承継税制」とは、中小零細企業の経営者から後継者が会社の株式を贈与や相続で引き継ぐとき、一定の条件のもとで贈与税や相続税の納税が猶予されたり免除されたりする制度です。

2009年度から導入されましたが、当初は要件が厳しすぎなかなか利用件数が伸びませんでした。そこで2015年度から一部要件が緩和されました。たとえば、事業承継後の雇用維持要件（従業員の雇用の8割以上を維持）について「毎年」が「5年間平均」に変わり、また親族以外の後継者も制度の対象に含まれたり、前の経営者が役員として残れたりするようにもなりました。

さらに2018年度の税制改正により、10年間の時限措置として大幅な拡充が行わ

【図表3-14】「事業承継税制」の特例措置のポイント

対象となる株式	「一般措置」では納税猶予の対象となるのは総株式数の３分の２までだが「特例措置」では全株式が対象。 ※必ず全株式を贈与、相続しないといけないということではない。
納税猶予の割合	「一般措置」では贈与税については100%、相続税については80%が納税猶予。それに対し「特例措置」では、贈与税も相続税も100%猶予。
後継パターン	「一般措置」では、納税猶予が認められるのは、先代経営者から後継者への引き継ぎだけ（現在は拡充）。また、納税猶予を受けられる後継者は一人だけ。 「特例措置」では、複数の株主（親族以外を含む）からの贈与も対象となり、また納税猶予を受けられる後継者は最大３人まで認められる。
雇用確保条件	「一般措置」では事業承継から５年間、従業員の雇用の８割（5年間の平均）を維持することが要件。 「特例措置」では、同じく事業承継のあと、５年間の平均で８割の雇用維持が必要とされるが、万が一、要件を満たせなくなったとしても、その理由を書いた報告書を都道府県知事に提出し、その確認を受ければ引き続き納税が猶予される。
事業承継が困難になった場合	「一般措置」では基本的に、納税猶予された税額をそのまま納付しなければならない。 「特例措置」では、売却した価額などをもとに税額を再計算し、それまでの猶予額との差額のみを納付すればよい。
適用期間と申請	「特例措置」は2018年１月１日～2027年12月31日までの贈与や相続に限られる。 また、2018年４月１日～2023年３月31日までに「特例承継計画」を都道府県知事に提出することが必要。

れ、それまでの「一般措置」に対して「特例措置」と呼ばれるようになりました。自社株の贈与や相続にかかる税負担を大幅に軽減できるので、中小零細企業の事業承継ではぜひ利用を考えたいところです。

ただし、「事業承継税制」は長期的な視点で利用しないとデメリットが生じる可能性もあります。注意すべきポイントをいくつか挙げておきます。

第一に、対象となる中小零細企業は業種によって資本金や従業員数に一定の基準があり、また資産管理会社は対象外です。資産管理会社とは原則として、有価証券や自ら使用していない不動産、現金・預金などの特定の資産の保有割合が総資産の帳簿価額の総額の70％以上の会社、あるいはこれらの特定の資産からの運用収入が総収入金額の75％以上の会社のことです。たとえば、不動産賃貸業を行っている企業や持株会社などは難しいとされます。

第二に、経営者と後継者にいくつかの要件があります。事業を引き渡す先代経営者は、会社の代表者であることはもちろん、一族で会社の株式の50％超を保有し、かつ本人が一族の中で筆頭株主であることが必要です。後継者についても、会社の代表者になることのほか、一族で50％超、その中で筆頭株主（後継者が一人の場合）になることが必要です。

さらに注意しなければならないのは、贈与の場合、後継者は20歳以上で自社の役員に就任してから3年経過していなければなりません。相続の場合も、相続発生の前に役員になっていなければ対象になりません（被相続人が60歳未満で死亡した場合を除く）。これらは事業承継の準備は早めに始めたほうがよいということにつながります。

第三に、いったん納税猶予が認められてもその後、取り消されることがあります。とくに猶予決定から5年以内については次のようなケースが取り消しになります。

①後継者が代表者でなくなった場合（やむを得ない場合を除く）

②一族の議決権が50％以下になった場合

③後継者が一族の中で筆頭株主でなくなった場合

④一部でも対象となった株を売却した場合

一方、5年を過ぎると大幅に緩和され、後継者が社長（代表者）を辞めることが可能です。雇用の8割維持という要件もなくなります。納税猶予の対象となっている株式を売却した場合も、売却した分のみが取り消し対象となります。また、5年経過後に納税することになっても、5年間分の利子税は免除されます。納税猶予になってから5年間が非常に重要なことは覚えておきましょう。

第四に、相続時の遺留分の問題があります。「事業承継税制」は経営者から後継者に対する自社株の贈与や相続における納税を猶予するものですが、先代の経営者が亡くなって相続が発生した場合、自社株は基本的に相続財産の中に含まれます。相続人が複数いれば遺産分割の対象となり、「遺留分」の問題が発生するのです。

遺産の分け方は基本的に、亡くなった人の有効な遺言があればそのとおりに、そうでなければ法定相続人の話し合い（遺産分割協議）で決まります。

ただ、亡くなった人に複数の法定相続人がいるとき、遺言で特定の法定相続人にだけ有利になるよう指定していても、一定範囲の法定相続人には法律上、最低限の取得分が保障されています。これが「遺留分」です。

遺留分が認められているのは配偶者、子、孫、直系尊属（父母や祖父母）までで、遺留分の合計は基本的に遺産の2分の1です。たとえば、法定相続人が4人いて、遺言でそのうちの1人にすべての遺産を渡す遺言があっても、ほかの3人は全体の2分の1まで遺留分が認められ、それを3人で分ける（6分の1ずつ）ことになります。

「事業承継税制」を利用する場合、この遺留分の問題を避けるには、後継者以外の相続人の同意をあらかじめ得ておくことがとても重要です。具体的には、自社株以外の現金や不動産などを用意し、それをほかの相続人が相続できるようにしておくなどの方法が考えられます。

「経営者保証」の外し方

「経営者保証」とは中小零細企業が金融機関から融資を受ける際、経営者個人が会社の連帯保証人となることです。会社が倒産して融資の返済ができなくなった場合は、経営者が自宅など個人資産を処分したりして会社に代わって返済することを求められます。

「経営者保証」には中小零細企業の経営に規律をもたらしたり、金融機関からの資金調達を円滑にしたりする面がある一方、経営者による積極的な事業展開や早めの事業再生、円滑な事業承継を妨げているという指摘が以前からありました。

そこで全国銀行協会と日本商工会議所では「経営者保証に関するガイドライン」を２０１３年12月に策定し、２０１４年２月から適用を開始しています。さらに２０１８年12月には、「事業承継時に焦点を当てた『経営者保証に関するガイドライン』

【図表3-15】経営者保証に関するガイドラインの特則において金融機関に求められる主な対応

① 個人保証の二重徴収（前経営者と事業後継者）は原則禁止

② 事業後継者に対する経営者保証は柔軟に対応

③ 前経営者との保証契約は適切な見直しを行う

④ 経営者保証を求める際は内容を具体的に説明する

⑤ 特則に対応できるよう内部規約の見直しや手続きの整備を行う

の特則」が公表されました。

「経営者保証に関するガイドライン」ではもともと、中小零細企業の生産性を高め、地域経済にも貢献するという好循環を促すための施策として、経営者保証が事業承継の阻害要因とならないよう、原則として前経営者、後継者の双方からの二重徴収を行わないことなどを盛り込んでいます。それを踏まえ特則はガイドラインを補完するものとして、主たる債務者（中小零細企業）、保証人（経営者や後継者）及び対象債権者（金融機関等）のそれぞれに対して、事業承継に際して求め、期待される具体的な取り扱いを定めたものです。

とくに、金融機関については図表3－15のような対応が求められ、中小零細企業にとっては経営者保証に対して一定の安心感を得ることにつながるでしょう。

【図表3-16】ガイドラインにおける経営者保証なしの主な条件

① 経営者の財産と会社の財産を区別する

② 財務基盤を強化する

③ 自社の財務状況を把握する

④ 債権者に対して情報開示を行う

⑤ 反社会勢力ではない

ただし、主たる債務者である中小零細企業や、保証人である経営者、後継者にも適切な行動や対応が求められます。

経営者保証なしで新規に融資を受ける際、あるいは既存の融資で経営者保証を外してもらう場合には、ガイドラインにおいては図表3－16のような条件があります。

いずれも当たり前といえば当たり前のことばかりですが、中小零細企業では経営者の財産と会社の財産がきちんと分離されていないことが少なくありません。自宅を事務所と兼用している場合は会社が経営者に家賃を支払うといったかたちを整える必要があります。

ガイドラインには法的な拘束力はありませんが、どのように金融機関と交渉すればよいのかという点では参考になります。ぜひ上手に活用しましょう。

第4章
業種別に考える
事業再生ポイント

1 製造業の事業再生ポイント

製造業の事業再生ポイント

本章では具体的な事業再生のポイントを業種別に考えてみます。まずは製造業からです。

コロナ禍では製造業の倒産件数が多かったとされます。製造業は装置産業であり、受注が2年間もストップないし大幅減になると、事業継続の見通しが立たなくなります。

また、中小零細企業の製造業で多いのは大手企業の下請けです。しかし、これからの時代における会社再建を考えると、1社との取引に頼るのは危険です。新規の取引先を開拓して売上を分散させることや、個人客向け（ＢｔｏＣ）の商品やサービスを検討してみるべきです。地方であれば農業などの新規分野への参入も検討の余地があると思います。

「これをやれば必ずうまくいく」という答えがあるわけではありません。さまざまな取り組みに挑戦し、その中で模索していくしかないのです。コロナ禍が終息し、「ゼロゼロ融資」の返済が始まるいまは、そうした取り組みを始めるチャンスと捉えましょう。

あるメーカー子会社の成功例

ある大手メーカーの子会社で原材料の製造を行っていた300人規模の会社の例です。市況の悪化で売上規模が80億円から40億円に半減。親会社やメインバンクからも見放されて倒産寸前となり、給料の遅配も発生していました。経営陣も民事再生か清算が避けられないと考え始めましたが、最後の望みをかけて事業再生を専門とするコンサルタントに相談してみました。

さっそく事業と財務の状況を確認したところ、300人のうち100人を減らせば黒字化が可能であることが分かりました。

当事者だけではどうしても目先の課題対応に追われ、大局的な視点で状況を把握できていなかったのでしょう。

ただし、社内には労働組合があり、同意を取り付けられるかがひとつの鍵でした。そこで労働組合の上部団体に出向き、「このままいったら300人全員が職を失い、地元エリアの経済状況から見て全員の再就職は難しい」「転職ができたとしても倒産会社の元社員だと見られる」「経営悪化の責任は99％経営陣にあるが従業員側にもなにがしかの責任はあるのではないか」といったことをぶつけました。また、3年から5年後に定年退職を迎える従業員が100人ほどいて、この人たちに早期退職してもらえれば会社は存続でき、会社都合で退職したということで退職の翌日から失業保険が1年間出ます。会社に残るのはできるだけ若い人、家族のある人にしてはどうかという議論をしました。

結果的に組合側と合意が成立。30日分の前払金以外の退職金は免除という条件で早期退職を募集したところ100人近く集まり、その結果、会社は200人規模に縮小して生き残ることができました。

後日談としてはさらに販売部門を切り離してよりスリム化し、利益体質の企業に生まれ変わっています。

2 建設業の事業再生ポイント

建設業の事業再生ポイント

かつてのバブル崩壊時やリーマンショック時には建設業と不動産業が一番あおりを受け、中堅ゼネコンや新興デベロッパーがばたばた潰れました。こうした業種に融資していた金融機関や地域経済にも深刻な影響が出ました。

今回のコロナ禍でも新規の工事着工が大幅に減少し、工事現場が一時閉鎖される事態も発生しました。大手ゼネコンはともかく、サブコン、二次下請けの工務店などは出来高制なので工事をこなさないと売上が立たず、人件費などの負担は変わらないという事態に陥ったのです。

しかし、以前の反省からこれら業種への下支えが手厚くなされ、受注が大きく落ち込んだところも雇用調整助成金やゼロゼロ融資などがあってしのげました。思いのほか建設業が倒産していないのはその効果だといえます。

とはいえ、コロナ禍が終息すると今度は資材不足からコストが急上昇しました。足元では一息ついていますが、人手不足は相変わらず深刻なままであり、今後の行方は要注意だと思います。

建設業では一般的に、受注書（発注書）があれば金融機関からつなぎ融資が受けられます。問題は、竣工までの工程（スケジュール）とそれに合わせた入金計画、および仕入の発注や支払計画を立て、管理していかないと資金ショートが起こることです。その結果、高利の金融に頼らざるを得ず、利益がほとんど残らないということになったりします。

金融機関もその点が杜撰（ずさん）な企業は相手にしてくれません。逆にいうと工程と資金計画をきちんと立てて、着実に実行できれば何も問題はありません。建設業は普通に経営すれば成り立つ業種なのです。

公共工事頼みは危険

とはいえ、いままでどおりのやり方で大丈夫かといえばそんなことはありません。とくにこれからの時代、建設業が目指すべきは公共工事への依存を減らし、民間工事の受注を増やすことです。

もちろん、公共工事から手を引く必要はありませんし、公共工事の受注実績は信用力につながります。ただし、全体の売上の半分以下にすることがポイントです。ひとつの目安としては民間工事と公共工事の比率が6対4くらいでしょうか。

なぜなら、公共工事はいまやほとんどが競争入札であり、競合が多いと利益率は低くなります。受注できても工事が終わってみたら赤字になっているかもしれません。そういうケースが続くと金融機関の対応が厳しくなり、経営悪化につながりかねません。

そもそも、公共工事に強い会社の経営が良好かというとそんなことはありません。

公共工事を受注するには経営審査があり経営状況がチェックされますが、それは最低限のレベルをクリアしているかどうかを見るだけです。

これからの時代、経営状態の良い建設会社であるためには、品質の良い建物を適切なコストと工期で完成させられる技術力やノウハウを備え、適正な利益を確保するとともに、口コミを含めた営業力によって安定して受注できることが必要です。そういう建設会社では民間工事が中心になっていくのは自然な流れです。

なお、公共工事でも道路、港湾、橋、ダムなど土木系や病院、航空、鉄道などインフラ系の案件ではより高い専門性が必要とされ、ハードルは高いものの利益は確保しやすく、積極的に挑戦すると自社のレベルアップにつながるケースもあります。自社の強みをどこで発揮するかが問われています。

受注営業から造注営業へ

これからの時代、建設業が目指すべきもうひとつの方向性は「受注営業」から「造注営業」への切り替えです。

造注営業とは自ら注文（工事）をつくり出すということです。たとえば、マンション工事を得意とするある大手ゼネコンは、自社でマンション用地を取得して建設プランを作成。セットで大手不動産会社などに売り込み、不動産会社から工事を受注する方式で業績を伸ばしています。工事の受注において競争がなく、有利な条件で受注できます。もちろん、土地を先行取得するためには金融機関の協力が必要ですし、場合によっては土地が不良在庫になるリスクもあります。

しかし、ただ工事案件を待っているのではなく、能動的に注文（工事）をつくり出すという姿勢は中小の建設会社にも参考になるはずです。たとえば地元の不動産業とのパイプをつくったり、設計事務所と付き合ったり、大手工務店やハウスメーカーの下請けに入るといったやり方が考えられます。また、造注営業のためには社内に専門部隊をつくってもいいですし、大手ゼネコンの営業OBグループなどを外注として利用するのもひとつの手です。

これまでとは取引先の商習慣や企業文化が異なりますから、頭を柔軟にして相手のニーズや困りごとを探りながら受注につなげていくことがキーポイントになります。

リフォーム工事はこれから狙い目

造注営業の対象として、民間のリフォーム工事やメンテナンス工事はこれから間違いなく狙い目です。

大手企業もリフォーム工事やメンテナンス工事を受注するようになっていますが、対法人であればおおむね1件3億円以上の案件がターゲットでしょう。しかし、3億円未満であっても粗利幅として少なくとも2～3割は確保できるので、中小零細企業にとっては十分魅力的です。

また、こうした規模の小さな工事は自社から一定のエリア内に絞ることが大事です。移動などのコストを抑えられ、少額の工事でも利益を確保しやすいからです。

さらに、リフォーム工事やメンテナンス工事はそれ自体が営業活動の一種でもあります。きちんとした工事をし、その後も定期的に訪問したりしていれば、何年か後にはまた注文が入る可能性があります。建設業は本来、工事案件を探してまわる狩猟型のビジネスですが、リフォームは見込客のリストができるという意味でストック型のビジネスなのです。

あるいは、個人客を対象とした100万円程度の屋根や外壁の塗装、シロアリ駆除などは従来営繕会社が手掛けていましたが、こちらもエリアを限定し、コストを抑えて挑戦してみるとよいでしょう。

建設業にはゼネコン、サブコン、専門工事会社、一人親方などさまざまなレベル、規模、工事があります。規模が大きければ良いわけでも、対応できる工事種別が多ければ良いわけでもありません。大事なのは自社の強みを見極め、強みを磨いていくことだと思います。

3 不動産業の事業再生ポイント

首都圏で続くマンション価格の高騰

先ほども述べましたが、バブル崩壊の際もリーマンショックの際も建設業と不動産業が大きく傷みました。とくにリーマンショックでは新興デベロッパーの倒産が相次ぎましたが、今回のコロナ禍では様子が異なります。

全国的に不動産価格の上昇が続いており、たとえば2023年3月に首都圏で発売された新築マンションの平均価格は1億円を超え、同年6月には東京都心6区の中古マンションの平均価格も1億円を突破しました。こうした状況で不動産業はむしろ好調です。

ただし、今後もこの勢いが続くとは考えにくく、直近ではタワーマンションを利用した行き過ぎた相続税対策に規制が導入される方針が明らかになるなど、先行きには不透明感が漂い始めたといっていいのではないでしょうか。

金利上昇への備えを

建設業と同じく、不動産業もビル開発、マンション開発、売買仲介、賃貸仲介などさまざまな業種があり、規模もさまざまです。財閥系を筆頭に大手は安定した財務体質を誇りますが、中堅、中小になると金融機関からの借入（融資）が多く、金利の影響を受けやすくなっています。

その点で気になるのが、アメリカやヨーロッパで現在、インフレの高騰に伴って中央銀行が急速に政策金利を引き上げていることです。SVB（シリコンバレーバンク）やクレディ・スイスなど金融機関の破綻や買収が起こり、商業用不動産の先行きが不透明になっています。中国についても長年の投資主導の経済成長が行き詰まり、不動産関連で巨額の不良債権が生じているのではないかといわれます。

日本でも今後、金利の上昇や商業用不動産、また価格が急騰している都市部のマンション価格の行方には注意が必要です。とくに金利上昇については、不動産業のビジネスにおける前提条件が変わることを意味します。いまは経営にさほど問題のない企業も油断することはできません。

4 運輸業の事業再生ポイント

「モノを運ぶ」から「荷主の課題を解決する」へ

半世紀以上前の高度経済成長のころ、取引先から頼まれてトラックを買い、運転手を雇い、運輸業を始めたケースが多かったといわれます。運輸業のビジネスモデルは単純化すれば、貨物を指定された場所へ運んで手間賃を受け取るというものです。モノを運ぶ時代には1回にたくさん積んで運ぶことが利益を生みました。

バブル崩壊後、運輸業も長らく冬の時代が続きましたが、近年はEC通販の爆発的な普及で貨物の量は増えつつあります。ただ、荷物は増えましたが小口配送が多く人手が足りないという新たな問題が発生しています。

ドライバーの人手不足は今後、ますます深刻になります。2024年からはこれまで猶予されていた残業規制が導入され、「運輸業の２０２４年問題」と呼ばれています。ロジスティックは製造業、建設業、生活周辺の産業など、ほとんどすべての事業に影響します。そこにウクライナ紛争によるエネルギー危機でガソリン代なども上昇しています。

こうしたなか、利益の確保とドライバーの待遇改善は運輸業にとっての大きな課題です。そのためには単純に「モノを運ぶ」のではなく「荷主の課題を解決する」という高付加価値のソリューション・ビジネスへの転換が重要です。

柔軟性と高付加価値で生き残る

コロナ禍では経済社会活動がストップし、運輸業では大型重量物の輸送ニーズが消滅しました。しかも、大きいトラックは小さな荷物を扱うのが難しいという弱点があります。

そうしたなか、名古屋のある運送会社はコロナ禍でも黒字を維持しています。その会社は中型・小型トラックが主力で、ＥＣ通販などに業務をシフトしたため影響を最小限に抑えられたのです。小さな器でも数を集めると大きな需要にも対応できます。柔軟性は運輸業における高付加価値化のひとつのポイントです。ほかにも次のようなポイントが挙げられます。

《設置営業》

たとえば家電販売店から冷蔵庫やエアコンを配送する際、指示された場所に設置して稼働させ、使い方を説明するところまで同じ担当者が行います。1回の運送で複数の業務をこなし、その分、売上と利益を増やせます。

もちろん、そのためにはドライバーを教育し、必要な資格を取得させなければならないこともあるでしょう。会社としても、たとえば取り外したエアコンを持って帰り冷却ガスを抜く場合、廃棄物処理の免許を取得することが必要になります。

《倉庫併設》

同じように運輸業における高付加価値化のひとつが倉庫業を併用する総合ロジスティックサービスの提供です。

売上規模が2億～3億円程度では難しいでしょうが、売上が10億円超でトラック40～50台を所有する企業であれば、倉庫を設けてそこを配送センターにするのです。大規模な物流倉庫には手が届かなくても、中小の空き倉庫を斡旋するサービスが最近は登場しています。

あとは扱う荷物をどう確保するかです。大手通販業者が中小の運送会社をネットワーク化する動きなどもあり、工夫次第ではないでしょうか。

人手不足をビジネスチャンスに

運輸業の人手不足の大きな理由は、ドライバーという職種の魅力がないからです。

しかし、ドライバーは日本語の問題もあって基本的に外国人にはハードルが高く、日本人ドライバーにとっての魅力を提供できれば十分生き残れると思います。

もちろん給料はそのひとつですが、それだけに限りません。とくに２０２４年からはドライバーの残業規制で中継地点でのリレー方式が一般化するといわれています。以前は本州なら当日配送が当たり前でしたが、東京から時速１００キロで走って８時間でどこまで行けるのか。東京からなら北は青森、西は岡山くらいで、そこから先は翌日配送になります。北海道の翌日配送はこれまでどおりとして、岡山以西、九州や四国に配送する場合は名古屋が中継基地として注目されています。

こうしたことを踏まえて、運送会社同士の提携やネットワーク化が進むはずです。中小規模の運送会社にとってこれはビジネスチャンスです。給与水準では大手ほどではないとしても、働きやすい勤務体系や社内風土を構築するというアプローチも考えたいところです。

5 人材派遣業の事業再生ポイント

猶予されていた社会保険料の返済をどうするか

法律によって人材派遣会社は自社が抱える派遣社員を社会保険に加入させなければならないことになっています。そのため、中小規模でも100人、200人単位で社会保険料の負担が発生し、かなりの金額になります。

今回のコロナ禍では売上の減少から社会保険料の支払いについて猶予期間が設けられていましたが、コロナの終息に伴い支払い通知がきています。その金額を見ると売上の数倍になるケースもあり、すぐ払えと言われても払えるわけがありません。

かつて社会保険料の滞納は一般債権と同じ扱いでしたが、法律や判例によっていまは税金（公租公課）と同じく優先債権として扱われます。

過去に溜まった分をどうやって処理するのか。払わないわけにはいきませんが、払えない場合は相談するしかありません。

地方税で回収不可能の場合、「資力不足」という言葉が使われます。回収を試みたものの納税者が資力不足で払えない場合、免除するわけではありませんが「自然債務」と呼んでいます。社会保険料についても新しい負担分については優先的に払って延滞を避けながら、滞ったものについては自然債務として少しずつでも支払い、時間はかかるかもしれませんが完済を目指すのが基本です。


ところが、税理士などは滞納が長期化した分から返済するようアドバイスしがちです。延滞金が増えないようにするというのが理由で、確かに理屈は分かります。しかし、過去の分から払っていると延滞税が含まれるので減り方が遅く、むしろ滞納額が膨らんで差し押さえを受ける可能性が高まります。それより、新しい分から優先的に支払うと滞納額が増えることはなく、延滞金を含めて少しずつでも返済することで誠実な会社と見てもらいやすくなります。

そのためには支払計画を立てる必要があります。これは経営再建計画と同じもので、事業をどのように立て直し、いつごろに収支を黒字化するのか、そして収益のなかからどの債務を優先して返済していくかをまとめ、債権者に説明するのです。これを「お金に色を付ける」といいます。

6 商社（卸業）の事業再生ポイント

商社（卸業）の事業再生ポイント

商社（卸業）ではコロナ以後、サプライチェーンの目詰まりでこれまで扱っていた商品が入らなくなったという事態が多発し、商社（卸業）の倒産も増えました。

一方、コロナ禍以降メルカリ、ヤフー（Ｙａｈｏｏ！オークション）、楽天（ラクマ）など個人間売買の市場が急拡大しています。こうしたルートから新しい商材を用意して通販事業やネット通販に乗り出すケースが見られました。ＢｔｏＢからＢｔｏＣに切り替える戦略です。あるいはＢｔｏＣに切り替えて通販事業やネット通販を手掛け始めた企業に卸すケースもありました。

ただし、過剰に在庫を抱えると逆に首を絞めることになりかねないので注意が必要です。

資金繰りの改善はマスト

商社（卸業）はもともと仕入在庫を持つことが前提なので、運転資金を確保しておかなければならない業種です。また、掛取引が中心で、売上代金の回収より仕入代金の支払いが先になるケースがほとんどです。仕入代金の支払いと売上代金の回収の時間差が長くなるほど運転資金も大きくなります。

そこで、仕入代金の支払いを遅らせ、売上代金の回収を早めることが重要になります。そのための方法のひとつがファクタリングです。売掛債権をファクタリング会社に売却することで、入金期日よりも前に現金化できます。また、取引先の倒産などによる未回収リスクがなくなり、融資とは異なるため信用情報に影響が出ないという利点もあります。

ただし、ファクタリング会社に手数料を支払うため収益性が悪化しないよう慎重に検討する必要があります。

第5章
元気な中小零細企業が日本を救う

1 中小零細企業の位置づけと役割

日本の経済と社会を支えるのはこれからも中小零細企業

よくいわれることですが、中小零細企業は国内の企業全体のうち約99％を占め、中小零細企業で働く人は従業員全体の約69％に上ります。

また、中小零細企業にはさまざまなタイプがあります。「中小企業白書（2021年版）」によれば、中小零細企業に期待される役割・機能は、次の4つに分類できるそうです。

①グローバルに展開する企業（グローバル型）
②サプライチェーンで中核的なポジションを占める企業（サプライチェーン型）

【図表5-1】国内の企業数および従業員数に占める中小零細企業の割合

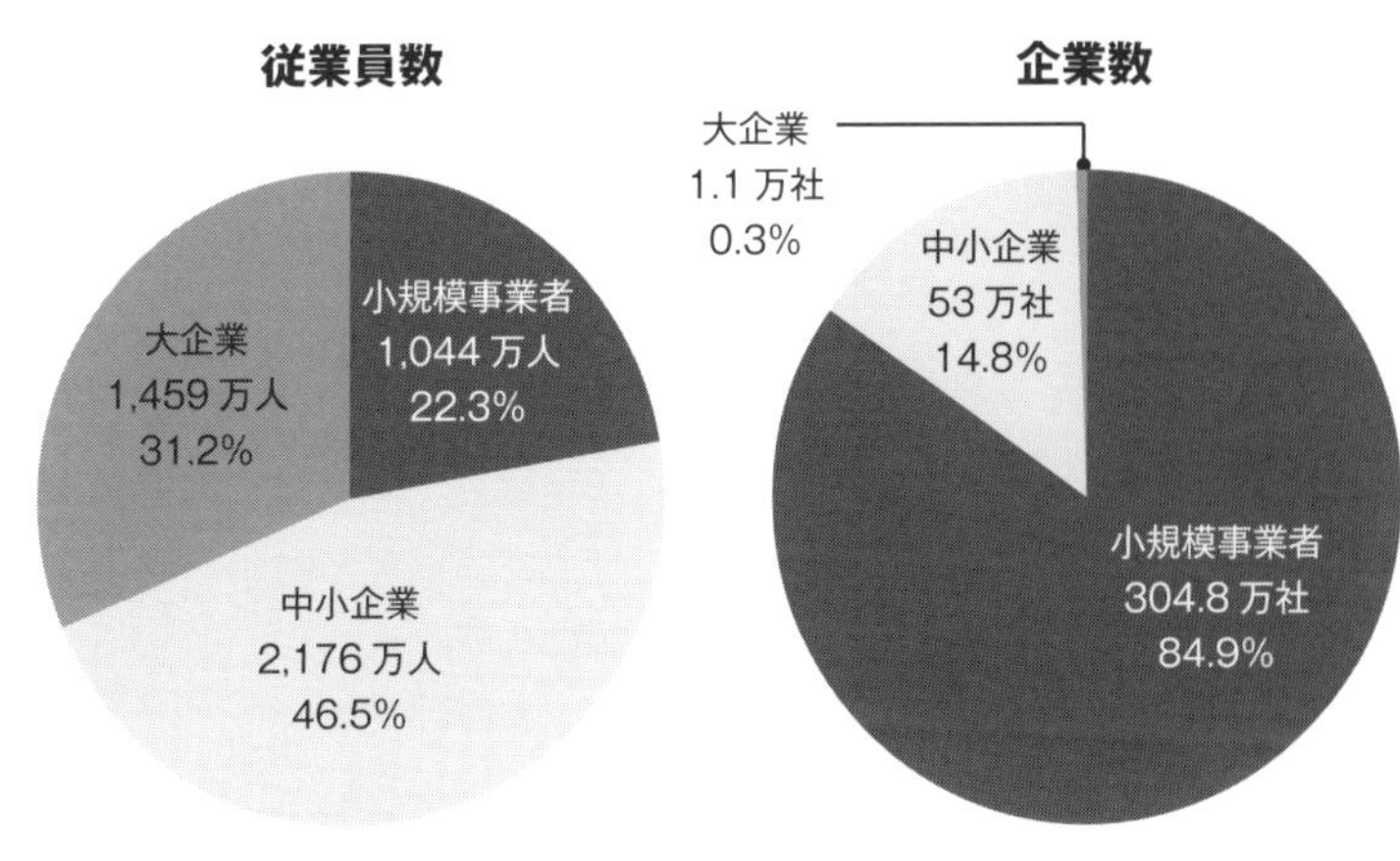

出所:中小企業庁「2016年版 中小企業白書」

③地域資源の活用等により立地する地域外でも活動し〝外貨〟を稼ぐ企業（地域資源型）

④地域の生活やコミュニティを支える企業（生活インフラ関連型）

①のグローバル型と②のサプライチェーン型の企業はおおむね企業規模が大きく、さらなる規模の拡大と成長を志向する傾向があります。そのため、とくに中堅クラスに対し成長を通じて海外で競争できる企業を増やすという観点からの支援が必要であるとされています。

一方、③の地域資源型と④の生活インフラ関連型の企業については、人口密度の低い地方ほど商店街の衰退や働き手・働く場所の不足、地場産業の衰退といった課題が深刻になっており、こうした課題の解決や地域の持続性を確保するために中心的な役割を担うことが期待されています。そこで、事業者による生産性向上の取り組みや、地域資源を最大限活用した域外需要の取り込み等への支援が必要であるとされています。

このように中小零細企業といってもそのタイプにより期待される役割・機能は多様ですが、中小零細企業は日本の経済と社会を支える存在としてその活躍が今後も求められていくことは間違いありません。

2 中小零細企業にとってチャンスの時代

中小零細企業には〝伸びしろ〟がたくさん

中小零細企業にはもちろん、財務体質や人材確保、市場での競争激化などいろいろな課題はあるものの、逆にいうとそれは〝伸びしろ〟があるという捉え方もできます。たとえば最近、ChatGPTの登場などで生成AIが注目されています。ロボットなども含め新しいテクノロジーの進歩とコストダウンは、上手に利用すれば中小零細企業の課題をカバーし、競争力を高めるきっかけになりえます。

中小零細の企業再建にあたっては、まず資金繰りを改善することが求められますが、それとともに事業の再構築を図り、より筋肉質の経営になることでキャッシュに余裕が生まれてきます。すると、経営者のみなさんには心の余裕と時間の余裕が生まれ、持ち前のバイタリティやアイデアを存分に発揮できるようになるでしょう。

そうなれば企業再建も軌道に乗り、新たな未来像を描けるようになるはずです。

自社の強みを再定義する

以上のような企業再建のプロセスにおいて、最も重要なポイントは自社の強みは何かを再定義することだと思います。経営者のみなさんはこれまでも自社の強みについて考え、定義してきたはずですが、市場環境や顧客ニーズ、ライバルの動向、金融情勢などはどんどん変化しています。その中でこれまでは自社の強みだったものが陳腐化していたり、逆に弱点に変わっていたりすることがあります。しかも、そのことに意外と自分たちでは気づかないのです。

顧客基盤と取引先、技術力、知名度、営業戦略、ビジネスモデルなど強みにはいろいろな要素があり、それらを数値データと質的データから分析するには外部の専門家を利用することが有効です。そして、これからの時代、追い込まれてからでは手遅れになりがちであり、早め早めに判断し、決断し、行動に移すことを意識しましょう。

単純な下請けから抜け出す

戦後の日本では焼け野原から多くの中小零細企業が生まれ、世界に羽ばたくような大企業に成長した例も少なくありません。

とはいえ、多くの中小零細企業は高度経済成長期に大手企業の下請けとして事業を展開してきました。いわゆる「ケイレツ」に入ることによって安定した受注と売上が確保できたものの、オイルショックなど景気変動の際には調整弁の役割を押し付けられました。バブル崩壊やリーマンショックのあともそうしたことが繰り返されてきました。それでも多くの中小零細企業は歯を食いしばって耐えてきたのではないでしょうか。

しかし、いまや多くの業界で「ケイレツ」が崩れ始めています。大手企業にとっても、何層にも連なる下請け企業を支える余裕はなくなっています。

これから多くの中小零細企業に求められるのは、自分の足で立った経営です。下請けとしての仕事をやめる必要はありませんが、売上をごく少数の大手企業に頼っていることは大きなリスクです。いつなんどき取引を打ち切られてもおかしくありません。新商品や新サービスの開発、新しいビジネスモデルへの挑戦、ＥＣなどこれまでとは違う販路の開拓など、できることは何でもやってみるべきです。

中小零細企業は組織が小さく、意思決定は基本的にオーナー社長が行えばすみます。ある意味、経営者の意識が変われば明日からでも会社は変われるところが大企業との違いです。

もちろん、下請けから抜け出そうとするにはそれなりの準備と手続きが必要になります。まずやるべきは従来の事業の定量分析と定性分析です。定量分析においては、たとえば売上高別と利益別に取引先のランキングをつくってみましょう。売上高では上位の取引先が、利益では意外に下位だったりするのはよくあります。そこでなぜそうなのか、理由を探ります。

定性分析とは数字以外の部分の情報分析です。自社商品について取引先の評判や不満を徹底的に集めると、新商品開発のヒントが隠れていたりします。

中小零細企業も外注化を考えるべき

かつてバブル崩壊やリーマンショックのあと、日本では内製化によるコスト削減に多くの企業が取り組んできました。確かにキャッシュフローを考えると内製化にも一理あります。

しかし、リーマンショック後、内製化にも限界があると考える企業が増えてきました。以前はサービス残業が当たり前で、サービス残業で内製化のコストが吸収されていたのです。

週休二日制が定着し、「働き方改革」で月40時間残業になると、外注業務を内製化すればするほどコストがかかります。


最近のトレンドは、業務の外注化と社員の独立推奨です。先進的な企業では社員に独立を促し、業務の一部を発注するようになっています。もともとその会社の業務スタイルや社風を知った人間なら外注先としてもぴったりです。

そう考えると、中小零細企業も優秀な外注先を持って経費を削減しながら売上を伸ばすべきです。あるいは、大企業の優秀な外注先になるという選択もあり得ます。

それは従来の下請けとは異なります。特定の大手企業に売上の多くを頼るのが「下請け」であり、自社の強みを生かして多くの大手企業と取引するのが「外注先」です。両者は価格などの交渉力がまったく違います。


たとえば自動車業界では「ティア1」（一次請け）といって独自の技術力や製品力

で完成車メーカーと対等に取引している部品メーカーがあります。こうした部品メーカーは複数の取引先を開拓しているので経営が安定し、レベルの高い分業制のプレイヤーとして完成車メーカーからも頼りにされる存在です。結果的に業界全体の効率化も進むことになります。

そもそも外注化したほうが身軽な経営（スリム経営）になり、少ない人員で売上が先に立ち、人件費（外注費）は後払いでキャッシュフローが楽になります。

外注先にとっても、安定的に発注が来る業務であれば社内で柔軟に配分すればよいでしょう。良い仕事をすれば発注が増えるのでモチベーションも上がります。これが外注化のメリットです。

ただし、それには有力な外注先を見つけるか育てることが大切です。このやり方を従来から徹底しているのが建設業界です。ゼネコン、サブコン、二次下請け（専門工事会社など）、三次下請け、一人親方などのネットワークを各社がつくっており、有力なゼネコンほど優秀な下請けを組織しています。下請けのレベルの高さがゼネコンとしての業務品質の高さにつながっているのです。

内製化はデフレ時代の対応策であり、これからはインフレの時代です。外注化のトレンドに自社がどう対応するかぜひ考えてみてください。

業界や地元の内輪から飛び出す

経営者の意識改革には、業界や地元の内輪のネットワークから飛び出すことが不可欠です。業界や業種によっては地域ごとに同業者の親睦会があり、そこに行くと顔見知りが集まっていて「このごろしんどくて」「先日こんなトラブルがあって」などと愚痴を言い合っています。それを聞いているうち「うちのほうがまだいいか」と危機感が薄れてしまうのが怖いのです。

また、内輪のネットワークに慣れると判断力が鈍るということもあります。「こんなことをしたらどう見られるだろう」「なんて言われるか分からない」などと内輪の目を気にして厳しい判断や思い切った決断ができなくなるのです。

組織改革においては少数精鋭が大事であること、少数で取り組むことで精鋭が育つということに触れましたが、経営者はそもそも孤独な存在です。とくに中小零細企業においては経営者にしか決断はできませんし、責任も取れません。その覚悟が企業再建を可能にするのだと思います。

3 賢い経営者になろう

企業再建とは経営者再生である

とはいえ正直に言えば、中小零細企業の経営者のレベルには大きな差があるのが実態だと思います。ですから「企業再建とは経営者再生である」といつも申し上げています。企業再建をやるのは経営者の責任であり、うまくいくかいかないか、それこそ運も含めて経営者次第であるということです。

たとえば、キャッシュフローや資金繰りは経営においてとても大事で、「引き算の経営」の発想から抜け出せない人は経営者としては失格です。「100円で仕入れて250円で売ったら150円の儲け」というのはそのとおりです。しかし、そこに「いつ仕入れて、いつ売って、いつ集金できるか」という視点がないと経営者とはいえません。

キャッシュフロー経営をするということは、時間軸の発想を持つということです。「これがいま安いから」といって大量に仕入れても、1年かけて売り切ることができず、在庫を廃棄しているようでは利益は残りません。利幅は多少減っても、先に売上を現金化し経費はあとで払うようにすれば、取引が増えれば増えるほどキャッシュが手元に残ります。在庫を大量に持つビジネスは基本的に難しく、それなりのノウハウを持っていないと失敗するだけです。

そう考えれば、儲けの仕組みが変わってきます。利益は薄くていいので、先に売掛金を回収できる仕組みをつくることが大事です。取引先に対し、月末に締めて請求書を出し翌月末に払ってもらうのではなく、もっと先にもらってあとで支払うことを目指すべきです。そうすれば資金繰りに困ることはありません。

そのためには、普段からの経営者としての言動が大事です。これまで取引先に散々不義理をしておいて、いざとなったら「何とかしてくれないか」と泣きついても無理というものです。ビジネスも最後は人間性がものを言います。

資金繰りは月次で十分

中小零細企業でも最近は、アプリを使えば月次決算が当たり前のようにできるようになりました。やろうと思えば日次決算も可能でしょう。

しかし、大企業ならともかく中小零細企業にとってこれは考えものです。資金繰りについて日繰り表をつくって管理している経営者がたまにいますが、むしろ逆効果だと思います。なぜなら、日繰りでは会社全体の大きなキャッシュフローが見えないからです。

日本の商習慣は基本的に月繰りです。「いまのままだとこの月は赤字になりそうだからどうやりくりするか」というように月繰りの中で帳尻を合わせることが大事です。これは担当者レベルでは判断できるものではなく、経営者が取引先に対し「今月の支払いを5日ではなくて月末にしてくれないか」など交渉する必要があります。月単位でキャッシュが回っていればよいのであり、それを日次で追いかけているとむしろ見落としてしまったりするのです。経営計画も基本的には年次で見て、3年計画を立ててやるのが正しい取り組みです。

これは金融機関との付き合い方でも同じです。

担当者も忙しいですし、大きな方向性を共有しておけば、決算書は年に1回、試算表は3カ月に1回程度持って行けば十分です。その代わり、もし何か問題が発生したときはすぐ報告し、対応を一緒に考えてもらうことが重要です。

中小企業も海外に目を向けろ

今後、日本では人口減少が加速すると予想されています。国内市場は基本的に縮小していきます。

そうしたトレンドにおいて、中小零細企業もインバウンド旅行者を含めた海外市場に目を向けるべきです。国内で磨いた商品、サービス、技術を求めている潜在顧客はむしろ海外にたくさんいるはずです。

海外市場への進出には言葉の壁をはじめさまざまな障害がありますが、たとえばマーケティング、受発注、物流などを含めた越境ＥＣのプラットフォームが手軽に利用できるようになってきているので、できるところから挑戦してみましょう。

危険です

これまで政府が主導するかたちで、信用保証協会や日本政策金融公庫、商工中金などが中小企業に対して特別融資政策を行ってきました。コロナ禍の初期は、その適用対象になる業界は限定的でしたが、感染者が増加して深刻さを増していくなかで、多くの業界にも適用されていったのです。

そしていま、その返済が始まり、苦悩する経営者が多くいます。

思い起こせば、政府が緊急事態宣言を発出したり、国民に外出しないように呼びかけていたことは記憶に新しいところです。新幹線は車両に1人しか乗っていない日もあり、東京の首都高速道路はガラガラで、車はほとんど走っていませんでした。

飲食店だけでなく、書店やパチンコ店など多くの店舗や施設は休業または時短営業になりました。各種イベントも中止に追い込まれ、プロ野球、大相撲は時を経て、無観客で開催されました。新型コロナウイルス感染症が広がった一番の原因は飲食店という報道もあり、酒類の販売はどの地域でも時間制限条例が施行されました。

ロックダウンは免れたものの、経済は悲惨な状況となり、リストラを断行する企業も多くありました。２０２３年5月8日に新型コロナウイルス感染症が5類に指定されて、一段落したように見えましたが、物価の高騰により消費は戻ったとはいえません。そんなとき、多くの経営者はコストカットに思考を巡らせ、当該業界の構造改革にも言及したりします。改革するべき点が見えるときでもあるといえます。

コロナ禍になってから、数十社ほどの経営者と面談をしてきました。経営者の方々のタイプは、①台風が過ぎるのを待つ現状維持型、②経費削減・リストラ型（効率重視）、③働き方改革型（ＤＸ化推進）、④ビジネスモデル改革型（新商品開発と販路開拓）、⑤投資型（既存事業の拡充、新規事業への投資）に大別できました。

私には①と⑤に相当する経営者が多かったように見えました。それはいまも同じようです。

日本の企業はこれまでオイルショック、バブル崩壊、リーマンショックなど、何度も危機的な状況がありましたが、社内をきちんと改革してきた企業が発展してきました。経済がいつ回復するか分からない現在も、いままでの苦境と同じような状況です。社内の改革をせずに事業拡大を思考する経営者には「危険です」と助言しています。

中小企業の実態

新型コロナウイルス感染症の位置づけが2類から5類に移行され、医療費の公費負担は少なくなり、行動制限も濃厚接触者の特定もなくなりました。

社会はだんだんとコロナ前に戻りつつあります。マスク着用も個人の意思に委ねられました。夏を迎える前には、日本医師会は熱中症を防ぐためでもあると説明しました。企業においても、在宅勤務制度をやめて、通常営業に戻す会社も増えましたが、以前のような業務に戻ることはそう簡単ではないのです。

大きな問題になったのは人手不足で、とくに飲食店では深刻さを増しています。時短営業から通常営業に戻りましたが、従業員をリストラしたあと、思うように人は集まりません。この人手不足の背景には、外国人の不法就労も見え隠れしています。多くの外国人が戻ってきて働く姿が見受けられるようになりましたが、入国管理局と警察は、不法就労に目を光らせているといいます。一時は外国人が誰もいなくなって日本経済は停滞しましたが、いまはインバウンド効果もあって回復基調と報じられています。

しかし、いまの景気回復は表面的なものといわざるを得ません。あまり表沙汰にはなりませんが、中小零細企業の公租公課未納が問題視されているからです。都税や県税では換価の猶予申請が史上稀に見る件数になっています。国税は優先債権という認識が一般的で、地方税と年金事務所管轄の社会保険の換価の猶予が問題視されています。

とくに、政府がコロナ禍に示した納付猶予された社会保険の未納金は、企業単体でも数千万、億単位で多額にのぼっているケースがあります。

換価の猶予を申請した中小企業は、金融機関への返済をリスケした社を含めてコロナ融資を受けた企業の18％におよぶとのデータもあります。いま思えばこの数年間は納付猶予があったものの、コロナが5類になって以降立ち行かなくなってしまった中小企業が少なくないのです。

政府の金融支援はあるにしても、税金や社会保険料の換価の猶予を申請している会社は、金融支援を享受できないのです。公租公課滞納問題が浮上するのは戦後初のことらしいですが、その根底にはやはり人手不足の問題があります。思えば、平成の初期、リストラなどで利益追求に突っ走ってきた企業が世間からバッシングを受けたこともありました。その反動がいまここにきて顕在化したようにも見えています。

街にはコロナ禍以前のような賑わいも戻っています。しかし、中小企業の実態は楽観できそうもありません。今回の苦境にＤＸなどの新機軸を打ち出す中小企業もあります。本当の意味での好循環で好況になることを願ってやみません。

増える中小規模の倒産

２０２３年８月中旬に、マスコミは「コロナ第９波の到来か」と報道し、それと同時にインフルエンザが流行しました。街にはマスクをする人の姿が多くなったように見受けられます。

具合が悪いのは人だけでなく、経済も一緒。レギュラーガソリン１ℓあたりの単価は１８０円台に突入しました。報道によると、２００円に到達した地域もあり、トラック配送会社は政治家に陳情。夏休みに車での旅行を控えた家族も多かったようです。２０２０年５月、レギュラーガソリン単価は１２０円台でした。まるで夢のようです。

東京商工リサーチは２０２３年に入ってから前年を上回る倒産案件を発表しています。20年の倒産件数は約７７７３件（前年比７・２％減）で、負債総額は約１兆２２００億円（同14・２％減）。８０００件を下回ったのは30年ぶりといわれていましたが、２０２３年上半期はすでに４０４２件（前年同期比32・０％増）に達し、異常さが際立っています。

こうした状況を見て、経済アナリストはテレビの情報番組で、コロナやインフルエンザにたとえて、「経済の流行病」とコメントしていました。また、２０２３年９月の日本商工会議所のシンポジウムでは、いまの危機的な状況は「円安」「インフレ」「人手不足」が要因として、今後も楽観視できないと予想していました。

最近の倒産会社の特徴として、負債総額が比較的小規模なものが目立っています。これは燃料や原材料費の高騰を受けて収益が悪化し、資金が回らなくなってしまった中小企業が多いことを浮き彫りにしています。これまでと同じビジネスモデルでは成り立たないことを表しているのです。

たとえば出版業界は、過去の成功体験からイノベーションが遅れている会社もあるように見えます。しかし、それは出版社に限ったことではなく多くの業界が同じ。それぞれの業界で構築してきた商慣習から意識を改革して脱却することはとても難しいのです。

このような経済危機を前に、その考え方を変えないといけません。個別企業の改革と併せて、業界の構造を変えることは容易ではありませんが、トップの判断が求められています。中小企業の経営者のなかには、「設備投資をする資金がない」「いい人材を獲得したいが来てくれない」と嘆く人もいますが、ピーター・ドラッカーは「これまでの実績などは捨てなさい。自分の強みを過信した者は生き残れない」と言い、阪急電鉄の創業者である小林一三氏は「お金がないからできないという人はお金があってもできない」という言葉を残しています。

2024年問題を前に

2023年も夏が長く、10月に入っても真夏日がありました。短い秋になりそうです。通販業界では、秋商戦の目玉である「ハロウィン」の仮装をするための衣装・グッズ関連商品について、秋仕様か夏仕様のイメージかで判断に迷い困惑していたと報道されていました。

2023年10月2日、日本銀行が発表した短観では、大手製造業、非製造業はともに好調と記されていますが、問題なのは「インフレ」「円安」「人手不足」です。とくに景気が上昇基調のときには、この3点が問題として浮上してくることが多く、配送に関わる2024年問題も控えるなかで、中小企業の経営を逼迫するおそれもあります。

2023年は夏場からのインフレでガソリン代が高騰。一時はレギュラーガソリンで１８０円台になりましたが、政府の支援から１６０円台まで下がっています。ガソリンの補助については、２０２４年の４月まで続く見通しです。

直面している「２０２４年問題」は、多岐にわたる産業に大きな影響を与えます。モノを運べなくなれば経済も止まります。この問題について、いま一度さらっておきましょう。

「２０２４年問題」は、運送会社に従事するドライバーの残業時間に上限を定めることにより生じる問題の総称として使われています。配送会社従業員の年間残業時間の上限が９６０時間に制限されることにより、長距離配送ができなくなって、期日までにモノを運ぶことができなくなるばかりか、配送会社の売上やドライバーの収入も減ります。この規制は２０２４年４月から施行されます。

ただでさえ人手不足の運送会社からは、「置き配」など、ドライバーの負担を減らす工夫が叫ばれています。マスコミも巻き込みながら、業界を挙げて取り組んでいて、政府の諮問会議でも取り上げられています。

思い返せば、コロナ禍でオンライン会議が一般化し、働き方も変わりました。コロナが明けたら店舗に顧客が押し寄せて、ごった返したこともありましたが、ネット通販で生活物資を購入する生活スタイルは定着しました。明らかに社会はいままでとは違い、静かに変化しています。
多くの企業がスピード感をもって時代に合わせて変わろうとしていますが、2024年問題を前に立ち止まらないでほしいと願ってやみません。

最後に

本書はこれから直面する社会問題と、すでに水面下で進行しているいままでに経験したことのない猶予した「公租公課の納付促進」などの問題を提起し、対策の窓口を表しました。現在直面している「円安」「インフレ」「人手不足」「2024年問題」「公租公課換価の猶予」は目先の対処だけでは乗り切れない世相ですから、何らかの希望の一助になればうれしく思います。

合掌

株式会社セントラル総合研究所　中村（八木）宏之

巻末資料

【資料①】不動産担保ローンバンク一覧

名称	金利	金利体系	借入可能額	借入期間	審査回答期間
東京スター銀行	0.850%～6.850%	変動金利	100万円～1億円	1年～30年	最短4日
滋賀銀行	1.950%～4.875%	変動金利	300万円～4500万円	1年～30年	3日程度
関西みらい銀行	1.900%～9.800%	変動金利	100万円～1億円	1年～30年	3日程度
りそな銀行	2.755%～9.900%	変動金利	100万円～1億円	1年～30年	—
アサックス	1.950%～6.900%	固定金利	300万円～10億円	3カ月～35年	最短即日
住信SBIネット銀行	2.950%～8.900%	変動金利	300万円～1億円	1年～35年	1日程度
あすか信用組合	2.900%～3.600%	変動金利	300万円～3億円	～35年	最短5日
AGビジネスサポート	2.490%～8.990%	固定金利	100万円～5億円	～30年	最短即日
三井住友トラスト・ローン&ファイナンス	2.990%～6.400%	変動金利	300万円～10億円	1年1カ月～35年	最短即日
つばさコーポレーション	4%～15%	変動金利	柔軟に対応	～30年	3日程度
トラストホールディングス	3.45%～7.45%	変動金利	100万円～10億円	1カ月～30年	—
総合マネージメントサービス	3.4%～9.8%	—	30万円～5億円	～35年	3日程度
京葉銀行	1.2%～3.9%	変動金利	50万円～5,000万円	1年～30年	—
セゾンファンデックス	2.750%～9.900%	変動・固定	100万円～5億円	5年～25年	3日程度
日宝	4%～9.9%	—	50万円～5億円	1カ月～30年	3日程度
MRF（エムアールエフ）	6%～15%	—	50万円～3億円	～35年	3日程度
マテリアライズ	5%～15%	—	100万円～1億円	1カ月～20年	最短翌営業日
JFC（ジェイエフシー）	5.86%～15%	—	300万円～5億円	3カ月～10年	3日程度
三鷹産業	5%～15%	—	50万円～1億円	～10年	最短即日

出所:株式会社CRIコンサルタンツ(2023年9月調査)

【資料②】不動産リースバック会社一覧

名称	運営会社	対応エリア	取扱物件	借家契約	諸費用
リースバックプラス	一建設株式会社	全国	不可物件なし	普通借家可能／定期５年	無料
アセット・リースバック	株式会社 AndDo ホールディングス	全国	全般	普通借家可能	相談
あなぶきのリースバック	あなぶき興産株式会社	関東・関西・福岡	マンション	普通借家可能	敷金・保証料・火災保険
ずっと住まいる	SBI スマイル株式会社	市街化調整区域以外の主要都市	戸建て・マンション	普通借家可能／定期３年～10年	無料
リースバック	株式会社セゾンファンデックス	全国	全般	定期借家３年	敷金１カ月分
KEIAI のリースバック	ケイアイスター不動産株式会社	全国	全般	定期借家３年	相談
en 満ライフ	株式会社ミライエ	全国	全般	普通借家可能	相談
リースバック売却	株式会社明和地所	全国主要都市	マンション	定期借家２年	相談
売っても住めるんだワン	株式会社センチュリー 21・ジャパン	全国主要都市	全般	定期借家２年	敷金・保証料・火災保険
あんばい	株式会社インテリックス	全国主要都市	全般	定期借家２年	敷金・保証料・火災保険
PMG リースバック	株式会社 PMGPartners	全国主要都市	全般	定期借家２年～相談	相談

出所:株式会社CRIコンサルタンツ(2023年9月調査)

【著者略歴】

藤嶋 介翔（ふじしま・かいと）
株式会社 PMG Partners 代表取締役社長

埼玉県生まれ。大手商社系列アパレルブランドの経営に携わるなかで下請け中小企業の実態を目の当たりにし、2016 年に金融業界に転じる。中小零細企業の再建と、資金導入や経営アドバイスを積み重ね、その経験・実績を生かし総合経営コンサルティング会社である株式会社 PMG Partners 代表取締役社長に就任。財務分析から黒字化のアドバイスや、財務体質支援の実績を専門スタッフとともに積み上げ、「中小企業の再生請負人」として多数の相談に応じている。近年コロナ禍の終息に伴い政府が主導した「ゼロゼロ融資」の返済に苦慮する中小企業のために「"晴れの経営"の道しるべ」となる本書を専門家とともに執筆した。

【監修者略歴】

中村（八木）宏之（なかむら〈やぎ〉・ひろゆき）
企業再生コンサルタント／株式会社セントラル総合研究所代表取締役社長

大学卒業後、銀行系リース会社からシンクタンクに派遣、渡米して経営学者ピーター・ドラッカー博士の講義を聴講する機会があり、名著『経営者の条件』に出会い衝撃を受ける。今では一般的になったキャッシュフロー会計を博士の講義で知り、ゼロサム社会での経営の心得を習得する。平成3年のバブル崩壊後、民事再生法（平成12年施行）を活用した中小企業の再建、私的整理ガイドラインによる中小企業の延命から事業承継を多数手がける。平成21年首相直轄諮問会議「経済施策諮問会議」メンバー、中小企業金融円滑化法の立案に中小企業の実情のコメントをする。中小企業経営者に向けた著書多数、経済部門ベストセラーもあり、日本の中小企業の実情を熟知。不動産リースバック会社、アセット会社や企業コンサル会社の顧問。今まで経験したバブル崩壊、リーマンショック、コロナ禍など経済情勢の悪化や円安、人手不足に対応できる中小企業のありかたを模索して本書を監修した。

川北 英貴（かわきた・ひでき）
資金繰りコンサルタント／株式会社グラティチュード・トゥーユー代表取締役

1974 年愛知県生まれ。大学卒業後、1997 年大垣共立銀行入行、主に中小企業向け融資業務を手掛ける。銀行退職後、2004 年に事業再生・資金繰りの専門コンサルティング会社を起業。2016 年、幹部社員の 1 人に会社を継いでもらい、翌 2017 年新たに「1 人コンサルタント会社」として株式会社グラティチュード・トゥーユーを設立。全国の中小企業の資金繰り改善に飛びまわる一方、電話やメールで日々、資金繰りに悩む経営者の相談を受けている。著書に『社長、この1冊で大丈夫です! 銀行からの融資 完全マニュアル』『社長、この 1 冊で融資交渉が強くなります! 銀行員のそのひとことには理由がある』『中小企業経営者のための絶対にカネに困らない 資金繰り完全バイブル』（以上すばる舎）など多数。

ゼロゼロ融資返済をのりきる「究極の資金繰り」
アフターコロナを生き抜く！ 事業再建のための融資戦略

2024年2月3日　初版第1刷発行

著　者　藤嶋介翔
監　修　八木宏之、川北英貴
発行者　岩野裕一
発行所　株式会社実業之日本社
住　所　〒107-0062　東京都港区南青山6-6-22　emergence 2
ＴＥＬ　03-6809-0473（編集）／03-6809-0495（販売）
https://www.j-n.co.jp/

印刷・製本　大日本印刷株式会社

装　丁　ソウルデザイン
本文DTP・編集協力　バウンド
校　正　山本和之

ISBN978-4-408-65070-8（第二書籍）